PARADIS, CLEF EN MAIN

NELLY ARCAN

PARADIS, CLEF EN MAIN

ROMAN

COUPS
DE TÊTE

Nous remercions le Conseil des Arts du Canada de l'aide accordée à notre programme de publication, et la SODEC pour son appui financier en vertu du Programme d'aide aux entreprises du livre et de l'édition spécialisée.

Nous reconnaissons l'aide financière du gouvernement du Canada par l'entremise du Programme d'aide au développement de l'industrie de l'édition (PADIÉ) pour nos activités d'édition.

Gouvernement du Québec – Programme de crédits d'impôt pour l'édition de livres – Gestion SODEC

Conception graphique de la couverture : Marc-Antoine Rousseau
Composition typographique : Nicolas Calvé
Révision linguistique : Annie Goulet
Correction d'épreuves : Annabelle Moreau

© Nelly Arcan et Les 400 coups, 2009

Dépôt légal – 4ᵉ trimestre 2009
Bibliothèque et Archives nationales du Québec
Bibliothèque et Archives Canada

ISBN 978-2-923603-21-6

Diffusion au Canada : Diffusion Dimedia

Diffusion en Europe : Le Seuil

Imprimé au Canada sur les presses de Transcontinental Gagné.

Catalogage avant publication de Bibliothèque et Archives nationales du Québec et Bibliothèque et Archives Canada

Arcan, Nelly, 1973-2009

    Paradis, clef en main
    ISBN 978-2-923603-21-6
    I. Titre.

PS8551.R298P37 2009   C843'.6   C2009-942138-0
PS9551.R298P37 2009

C'EST MA VIE

On a tous déjà pensé se tuer. Au moins une fois, au moins une seconde, le temps d'une nuit d'insomnie ou sans arrêt, le temps de toute une vie. On s'est tous imaginé, une fois au moins, s'enfourner une arme à feu dans la bouche, fermer les yeux, décompter les secondes et tirer. On y a tous pensé, à s'expédier dans l'au-delà, ou à s'envoyer six pieds sous terre, ce qui revient au même, d'un coup de feu, *bang*. Ou encore à en finir sec dans le *crac* de la pendaison. La vie est parfois insupportable.

C'est ainsi.

Ça vient, ça prend à la gorge, et ça passe.

Dans le meilleur des cas.

Il y a des gens pour lesquels ces pensées ne passent pas. Elles se coincent dans l'embrayage. Elles s'imposent, elles s'impriment, elles les suivent pas à pas, dans leur dos, elles les attendent à chaque tournant, elles regardent par-dessus l'épaule dès le réveil jusqu'au soir, elles les traquent jusque dans leurs rêves. Pour eux, la vie est une impasse, un cul-de-sac, à cause d'un événement malheureux, d'une perte, d'un abandon, d'une mort, mais surtout parce que la vie est naturellement, de tout temps, invivable. Tous les jours, ils sont pourchassés par les images éblouissantes de leur propre mort, images primordiales auxquelles la souffrance s'arrime, s'accroche ; ils sont possédés par le climax de leur libération, ce moment où la vie quitte le corps, ils se tendent au complet vers cette fraction de seconde où la fin, la vraie fin, la dernière, au-delà de quoi la souffrance n'est plus possible parce que sans support organique pour lui donner forme, survient. Des gens pour lesquels les moments de répit n'existent pas ou se présentent en si petit nombre et en si courte durée qu'ils passent inaperçus. Pire : ces répits ne contribuent qu'à ramener, avec plus de force encore, la tension dramatique de leur quotidien, de leurs pensées bourdonnantes, inlassables de noirceur, harassantes comme un essaim d'abeilles impossible à chasser du revers de la main, à moins d'être piqué, mangé.

Des gens comme moi. Je devrais dire : comme moi *avant*. Avant de voir en personne ma propre mort, la grande faucheuse toute proche, en gros plan, une mort pensée d'avance, achetée et planifiée. De cette mort-là je suis sortie vivante. Dans cette survivance, je n'ai qu'une envie, celle de vous parler. De ça. De ce mal-là.

Nous sommes au Québec. C'est important. Il se trouve que beaucoup de gens, ici, veulent mourir, comme ça, pour rien, pour tout, parce qu'ils souffrent, parce qu'ils en ont marre, parce que la vie est une punition, parce que chaque jour est un jour de trop. D'un autre côté, la situation géographique et l'histoire d'un pays n'importent pas : l'idée de soulager ceux qui ne veulent plus vivre, comme les grands brûlés, les cancéreux, les paralysés, n'est pas nouvelle. C'est même une pratique déjà répandue en traînée de poudre aux quatre coins du monde.

La date d'aujourd'hui n'a pas d'importance non plus. Notre temps continue de perpétrer celui d'avant, ses babioles en plus, ses accessoires, du bonbon, des prothèses qui prolongent le corps, qui le rendent plus rapide, plus efficace, le propulsant dans l'espace ou le plongeant dans les fonds marins, et qu'on appelle technologie.

Rien de neuf, donc, sous le soleil de l'humanité. Le monde va mal comme il en a l'habitude. Par endroits, il se porte mieux, comme chez nous. Des guerres, ancestrale distraction des hommes, ont cours au moment où je parle, réparties comme il est de mise dans ses régions les plus miséreuses et aussi les plus riches en matières premières.

L'Amérique du Nord est encore une terre où il fait bon vivre, où il est possible de s'occuper de ses affaires sous toutes réserves, mais dont la sécurité est à chaque jour menacée. Surtout dans la bouche des politiciens. Ces menaces virtuelles se matérialisent parfois, elles arborent un visage réel sous la forme d'attaques attendues mais toujours impromptues qui soulagent aussi bien l'Amérique que ce qu'il est convenu d'appeler ses « ennemis » ; l'Amérique n'en peut plus d'avoir peur dans l'indétermination du vide, d'attendre sous tension que ses villes stratégiques explosent, elle qui veut entourer de chair sanglante ses investissements, ses forces vives, ses nouvelles trouvailles, son esprit guerrier pour la paix. Sa marche mondiale à suivre.

Toutes proportions gardées, nous sommes toujours du côté du Bon Dieu.

Je m'appelle Antoinette Beauchamp, mais mon nom ne compte pas. N'ayons pas peur : je n'en ai plus besoin. Quand la vie sociale se résume à une mère, mieux vaut ne pas en avoir, de nom. Tomber dans l'anonymat comme on quitte la région pour tomber dans la grande ville peut être réconfortant, une façon de se mettre à l'abri des réclamations comme des regards de travers, surtout quand la seule personne dont on peut voir le visage est aussi celle qu'on déteste le plus.

Ma mère est riche par héritage et elle a quintuplé sa fortune en fondant une compagnie de cosmétiques vendus partout dans le monde appelée Face The Truth. Elle n'a rien inventé, comme la plupart des gens très riches : des produits coûteux qui domptent, à coups de formules hydratantes, faits de cellules, de protéines, de suppléments, brassés à feu doux avec des ingrédients miracles, le vieillissement. Surtout celui du visage. Une femme de tête, une femme forte qui a œuvré pour la beauté. Jusqu'au jour où la beauté a commencé à œuvrer pour elle, par fructification, par rentabilité : la beauté, en devenant technologie, a trébuché sur elle-même, elle est devenue l'esclave de ses créateurs, de ses menteurs.

Ma mère m'a toujours fait vivre comme elle a toujours fait vivre Léon, son frère étrange et inadapté, mon oncle adoré qui a choisi de rester dans l'ombre et de devenir bibliothécaire, une rareté de nos jours, qui est aussi un amoureux des volcans, de leurs irruptions, de leurs sommeils ou de leurs réveils, de leur activité, de la splendeur de leur force de destruction.

Un frère pour elle et un oncle pour moi. En dehors de nous, un dépositaire d'œuvres oubliées, imprimées sur un papier criminel, tueur d'arbres, enleveur et destructeur de mère Nature, cette nourrisse planétaire, des livres qui d'ailleurs n'intéressent qu'une parcelle infime de la population.

Quand j'avais quinze ans, Léon s'est suicidé. Son père à lui, le père de ma mère, aussi. Dans la famille, ça court. Personne n'est jamais élevé par les voisins.

Moi, j'ai été serveuse dans un bar, vendeuse de lingerie, classeur d'annonces classées sur le Web, gardienne de nuit dans des centres commerciaux et des hôtels. Je n'ai rien fait de ma vie, sauf la rejeter.

Ma mère riche et esclavagiste m'appelle Toinette. C'est proche de Toilette. Je ne dispose que d'une lettre pour me différencier du trône, de la bol. Le plus drôle, c'est que la parenté si frappante ne m'est apparue qu'il y a deux ans. Quand on pense que je vis aujourd'hui dans mon lit, que j'urine et défèque dedans, que je baigne en permanence dans une grande chiotte blanche matelassée, ce petit nom d'amour de mère n'est plus nécessairement déplacé. Il tombe au contraire à point nommé.

Depuis deux ans, je suis paraplégique. Une tragédie qui se rejoue chaque fois que j'ouvre l'œil. Qui marche bien, si on considère que je suis toujours vivante après un suicide raté, pourtant réglé au quart de tour, dans le moindre détail. Ce ne sont pas le jour et la nuit qui régulent mes journées, qui les séparent en tranches d'heures à dormir ou à rester réveillée dans mon lit, mais les visites de ma mère. Une teigne nécessaire. Une survie malodorante. Une fois par jour, à heure fixe. Une heure fixée par elle comme un métronome increvable. En dehors de ces visites pénibles, inéluctables, le temps s'enroule autour de mon avachissement sans rémission, d'un corps relâché pour de bon dans un lit d'une sophistication inouïe, adapté à mon statut d'handicapé lourd.

Par désespoir, ma mère consent parfois à me fournir en alcool. De toutes les boissons, c'est la vodka blanche que je préfère, mêlée à du jus de fruits. C'est le plus beau cadeau que ma mère puisse m'offrir quand rien ne me retient plus de la blesser, de l'injurier, quand je deviens intenable, enfant surexcitée sans activité physique autre que celle de ma bouche qui s'ouvre, élastique, qui parle, qui hurle, qui jacasse sans arrêt, même fermée, ou encore celle de mes bras, qui lancent des objets par terre, sur les murs. Ce qui ne l'empêche pas, ma mère, de me punir ensuite par des larmes de repentir chaque fois qu'elle me retrouve recouverte de matières vomies ou encore délirante, quand elle m'entend la menacer de la tuer coûte que coûte, quand elle me surprend en train de hurler à l'adresse du plafond que je menace du poing.

Que je trouve du plaisir au délire éthylique en rajoute à sa détresse, que je jouisse du contact avec ma vomissure la surpasse. Une victoire sur la toute-puissance de son corps en santé, supérieur, médicamenté, prémuni contre ces signes visibles et haïssables de la vieillesse, son corps si familier et inhumain, à l'épreuve des excès qu'elle repousse comme une athlète en performance.

Dans ma vie, vomir est un événement. Un clou de soirée. Le vomissement est l'une des seules activités sur laquelle j'ai un contrôle, en dehors de ma voix qui me narre à moi-même cette histoire, en circuit fermé. Urine et excréments sont une affaire de tuyaux hors de ma vue, qui commence par des sacs dont le contenu est pompé sous mon lit pour s'en aller, toujours dans des tuyaux, derrière un pan du mur où se trouvent d'autres contenants mystérieux, de nature médicale, que je ne vois pas. Des poupées russes de solides et de liquides qui s'échappent de mon cul et qui sont cachés de moi. Seule ma mère a un lien physique avec eux. Ma merde, ma pisse, ne génèrent aucune sensation corporelle quand elles me quittent par pompage de tuyaux.

Mère et merde, une autre parenté de mots, que je ne commenterai pas : elle et moi, on est dans le même bain, on vient du même moule.

On croit que ce n'est pas une grande perte que de ne pas se sentir chier. Ce n'est pas vrai : au moment où toute communication est rompue avec sa propre merde, elle devient obsédante comme une tache dans l'œil et non seulement on ne l'a pas perdue, sa sale merde, mais elle s'impose en rebroussant chemin jusque dans l'esprit pour s'y étaler et le corrompre. On devient un bébé, un enfant condamné à la malpropreté, qui inspire la pitié. De l'indigence sans réhabilitation.

Il m'arrive parfois de rêver que je suis aspirée par ces tuyaux et que je me retrouve, fraîche, de l'autre côté du mur qu'ils perfusent, dans un monde ensoleillé et verdoyant où je peux courir, fuir à toutes jambes.

Mes jambes, les vraies, les réelles, les mortes, sont ce que j'ai de mieux : très longues, minces et imberbes. Des jambes ironiques, de la guenille de luxe. À rendre fous de désir les hommes et folles de jalousie, ou de douleur confuse, les femmes.

Depuis que je ne marche plus, je me suis mise à parler. Un vrai moulin. Un flot continu de paroles. Un jet comme de la bile enragée, un geyser ininterrompu de blabla dans le beurre de mon environnement immédiat : une pièce aux murs roses entre lesquels je suis toujours seule ou bien avec ma mère, ce qui est pire ; de grandes fenêtres aux rideaux diaphanes vert pomme, ma couleur préférée, une télécommande à fonctions multiples et un plafond blanc qui me sert d'écran sur lequel je peux regarder des films, surfer sur le Web et jouer à des jeux, regarder de la *porn* sans rien ressentir sinon un malaise provoqué par l'incompréhension, ou encore l'ennui d'un biologiste qui doit faire l'inventaire de toutes les vermines possibles au bout de son microscope.

Plus important : je peux y écrire avec le son de ma voix. Le plafond, c'est aussi ma tête et les pensées qui s'y bousculent, qui jouent des coudes dans la promiscuité, ce sont mes mains, ma bouche, le reflet de ma mobilité perdue. C'est mon passé. C'est toute ma vie. Je peux effacer ma voix écrite en prononçant ce mot : « effacer ». Ou la corriger avec cet autre mot : « corriger ». Ma vie pourrait être un terrain de jeu, mais le plafond, c'est aussi ma mère. Enfin, je pense. Oui, tout se paye, toute bonne chose a un prix élevé comme les voies impénétrables de Dieu, aujourd'hui devenues des sentiers battus.

Je regarde le plafond à chaque instant et il me regarde en retour. Je crois. Ce ne serait pas dramatique s'il n'avait pas installé une intention dans son regard : la surveillance. Mon plafond m'épie, il me surplombe de son troisième œil, parce que ma mère, peu importe où elle se trouve, peu importe l'activité qui l'occupe, peut me retracer à loisir, partout dans mon lit à l'horizontal, à l'aide d'une petite caméra située en son centre, si discrète qu'il est impossible de la voir depuis ma latrine entretenue, toujours propre, intrinsèquement contaminée. Ma mère sait que je sais que la caméra me capte pour me renvoyer à elle quand bon lui semble, quand ça lui chante, mais elle continue encore de nier son existence. Sa présence au-dessus de moi est une chose que j'ai déduite de ses paroles, de ce qu'elle me confie, de ce qu'elle sait de moi et qu'autrement, s'il n'y avait pas là une caméra cachée, si elle ne me voyait ni ne m'entendait en continu, si elle ne jouissait pas d'une omniscience usurpée jusque dans mes pensées, elle ne pourrait pas savoir. Que j'écris, que je raconte cette histoire.

Un jour, elle sera confondue, démasquée et, ce jour-là, qui sait si je ne retrouverai pas l'usage de mes jambes pour l'écraser tout à fait.

Je parle parle, jase jase, pour exaspérer ma mère contrainte à m'entendre ou à me couper la voix sous le pied, enfin j'imagine, avec sa propre télécommande. Me réduire au silence. *Mute*, aphone. Des mots, j'en ai aussi besoin, parce que ce sont eux, désormais, qui me permettent de tenir le coup, ce sont eux qui se substituent à ces jambes mortes qui m'ont ouvert bien des portes par le passé sans même un mot de ma part, sans un seul remerciement, sans un signe de tête de rien et parfois même sans un regard pour les portiers de ce monde, pour raconter l'histoire qui me lie à Paradis, clef en main.

Cette compagnie pro-choix intouchable, parce qu'impeccablement organisée, qui vous monte de toutes pièces une mort réfléchie, choisie et payée par volonté, affirment-ils, de vous conserver intacte une dignité dans la détestation de vous-même, dans la violence du dernier souffle arraché, tout ça de manière sécuritaire, efficace et hygiénique, je l'ai vue de trop près pour l'oublier.

Je suis couchée, mais je ne suis pas une tombe. Je révèle tous les secrets que je ne veux pas emporter avec moi, quand la vraie mort viendra, et c'est à haute voix que je le fais. Bientôt sur tous les toits.

Monsieur Paradis est le père incontesté de la compagnie, le fondateur de l'usine à morts volontaires qu'est Paradis, clef en main. C'est le premier homme à avoir osé mettre sur pied une compagnie offrant l'organisation méticuleuse de suicides tarifés, achetables dans une variété de forfaits. Une mort assaisonnée au goût du jour et planifiée à la discrétion du mort en herbe.

Son audace lui est venue après que son fils, suicidaire depuis l'enfance pour des raisons que tous ont voulu définir et qui restent, encore aujourd'hui, mystérieuses en raison de la variété des interprétations, s'est tué de manière si sanglante que sa mort ne pouvait être qu'un message qui lui était adressé. Ce suicide avait tout l'air d'un règlement de compte, d'un accusé de réception envoyé à sa face, comme s'il lui disait : *L'état de mon cadavre te parle de ma mort qui te regarde de près. Cette mort est l'ombre dans laquelle tu seras désormais condamné à marcher, et elle te suivra toute ta vie.*

Que son fils se soit suicidé avec une telle fureur, avec une telle détermination, l'a jeté dans un état d'impuissance qui l'a incité, des années plus tard, à l'action. Il a voulu faire revenir son fils de la mort pour mieux la lui rendre en tuant d'autres gens. Au lieu de combattre le suicide en aidant les suicidaires à choisir la vie, il s'est battu pour garantir le succès des suicides de gens voulant en finir avec elle : la vie.

Tout le monde, selon les idéalistes de la mort érigée en droit, selon les pro-choix, les serviteurs de la compagnie, a le droit de se donner une mort certaine et sans dommages collatéraux ; et surtout, cette nécessité de la mort à s'octroyer ne doit pouvoir être proclamée que par celui qui souffre, celui dont la vie est en jeu. Chaque existence n'appartient qu'à celui qui lui donne corps : ni l'État, ni la religion, ni la société, ni la famille, ni les amis ne doivent s'interposer entre les corps et l'énergie vitale qui les anime. Disposer de son corps comme bon nous chante, même si cette disposition mène au cimetière, est un droit inaliénable.

Je n'ai pas tout saisi de la complexité de l'enjeu et des nuances idéologiques du discours de monsieur Paradis. Au contraire. Dans mon désir de mourir, le désir de mourir des autres était le dernier de mes soucis. La guerre des valeurs et des droits, je l'ai toujours laissée aux autres. Ainsi sont la plupart des suicidaires : bouffés par l'urgence de s'en aller loin des autres, de prendre la porte du monde ; réduits à leur petite personne détestée, penchés sur leur grande noirceur.

D'après les articles de presse parus à l'époque, qui relataient un premier suicide raté du fils de monsieur Paradis, il s'était intoxiqué avec des médicaments pigés au hasard dans la pharmacie personnelle du père, en quantité suffisante pour se rendre inconscient pendant des jours, mais insuffisante pour se tuer. Car il ne suffit pas de vouloir mourir, encore faut-il viser juste dans la mort et préparer tout de l'impact de l'arme choisie, qui n'est pas toujours obéissante. Qui défigure souvent sans toucher le cerveau. Qui laisse des traînées sanglantes à l'odeur ferreuse sans qu'il y ait vidage de tout son sang. Le corps est une machine autonome qui se désiste, qui a ses propres plans d'avenir.

Monsieur Paradis a décidé, il y a cinq ans, de parler au nom de tous ceux qui souffrent d'une souffrance dite « morale » et qui décident de ne jamais en guérir. Il a choisi d'œuvrer dans l'exil, pour échapper à la justice, et pour aider les désespérés qui veulent en finir.

Une douleur morale, c'est une anguille entre les doigts : l'anguille elle-même ne peut rien faire contre son manque d'adhérence, elle ne peut s'empêcher d'être insaisissable, et elle reste donc impuissante devant son propre glissement. On appelle ça une fatalité. Ma souffrance morale à moi, elle s'écrit au fur et à mesure au plafond qui me surplombe de son omniscience. En quelque part, c'est à ma mère qu'elle s'adresse.

* * *

On est mardi, jour de chaleur accablante de juillet. C'est l'heure de la visite de Dieu la Mère annoncée. Dehors, l'été torride étend sa brûlure sur tout ce qui ose constituer une surface. En marchant, les piétons trop pressés de se mettre à l'abri se taisent et se regardent à peine par économie d'énergie, elle-même surface à flamber ou à gruger potentielle si exposée trop longtemps.

Le soleil de juillet est un terroriste qui dure tout l'après-midi, souriant à visage découvert, dont les attaques sont appréhendées et dont personne ne peut se prémunir. Dehors, les gens ne commenceront à se détendre, puis à boire et à chasser les restes d'humidité en s'épongeant le front avec des mouchoirs, qu'à la tombée du jour, où les terrasses se gorgeront de joie de vivre pour ne plus désemplir jusqu'au milieu de la nuit.

Le plat de poisson blanc que ma mère m'a apporté hier, dont les effluves beurrés me parviennent encore, est répandu de mon plein gré sur le plancher en céramique vernie. L'assiette incassable n'est pas cassée malgré mon envie folle qu'elle le soit et bien que j'aie hurlé en la lançant : « Casse-toi ! » J'ai envie de boire et, subséquemment, de vomir. En me penchant un peu, je peux repérer des bouts de fenouil caramélisé dont le jus s'est solidifié pour former une tache, elle aussi toute brillante et vernie.

Dans ma cage dorée et exiguë, qui se replie sur moi, je jouis d'un certain luxe : fine cuisine, plantes exotiques belles et inutiles dont un citronnier majestueux qui encombre mon espace vital sans me déranger, dont une plante grimpante qui s'est emparée d'un mur de brique d'un rouge brunâtre, au fond de ma chambre.

La végétation qui m'entoure fait preuve d'une plus grande activité physique que moi. Du haut de leur autonomie, les plantes me surveillent peut-être aussi, portant dans leur feuillage trop fourni pour rester à l'intérieur, trop vivace pour ne pas défoncer, bientôt, les limites de ma prison haut de gamme, de minuscules caméras offrant à ma mère, qui sait, un angle inédit sur ma vie alitée, assoiffée, révoltée. J'ai un train de vie enviable incluant une climatisation qui démarre et s'arrête en suivant la vague de mes humeurs, ainsi que le reste de l'artillerie techno-logique de pointe que je fais fonctionner comme Dieu a bâti le monde : par des ordres. Par la force du Verbe.

Ma mère et moi, on forme un couple de siamoises. Les couples qui se disputent se disputent selon un schéma de pas de danse qu'ils respectent au pied de la lettre sans le savoir. Dans leur esprit, frustrations et récriminations s'enchaînent toujours dans le même ordre et les répliques qui fusent, automa-tiques et identiques d'une fois à l'autre, ont battu leurs propres sentiers creusés par la répétition, sen-tiers impossibles à camoufler une fois que s'est imposée la fois de trop : l'herbe n'y pousse plus et la terre, aride, aurait besoin de la durée de toute une vie pour ne plus exhiber son marquage, son piétinement de couple qui se dispute dans une danse au quart de tour. Et encore. Avec ma mère, c'est ainsi. On forme un couple comme un tronc bicéphale à sens unique : le sien, à elle. L'absence de réciprocité a toujours été notre lien le plus fort.

Au loin, les pas de ma mère à peine sortie de l'ascenseur claquent dans le couloir de l'immeuble où se trouve mon enclos. Dans moins de vingt secondes, la porte s'ouvrira et, comme toujours, je ne la verrai pas tout de suite. Comme toujours, elle me parlera avec ses paroles automatiques avant même que je l'aie en face de moi. Elle devance, brise la glace, lance et compte. Ma mère, toujours en avantage numérique. Ses pieds qui claquent de plus en plus fort portent des talons hauts, comme toujours. Le féminisme n'aura jamais réussi à casser chez les femmes leurs penchants pour la grandeur, même s'ils exigent pour se satisfaire des ustensiles douloureux comme des talons ou le redressement chirurgical des vertèbres. Dans trois, deux, un.

La porte s'ouvre, un courant d'air fait frémir le feuillage des plantes. Cliquetis de clefs déposées dans son sac à main armé.

« Toinette ?

— Toinette la Toilette !

Les pas s'arrêtent, l'exaspération de ma mère me parvient sous la forme imaginée d'yeux en l'air, levés au plafond.

— Ta scatologie me lasse, Toinette. Je te demanderais de me l'épargner.

— Alors cesse de m'appeler Toinette. »

Soupir classique de découragement suivi de pas à talons hauts vers le lit. Sentant son odeur de prédatrice affamée qui me cherche, je hurle à l'adresse du plafond où ma voix est retranscrite en mots :

« Fermer Paradis, clef en main ! »

Ma mère m'apparaît, superbe, avec son air triste de circonstance. Je la regarde par bravade en croyant à tort à ma capacité d'encaisser, à ma soi-disant étanchéité, mais le choc a encore lieu, une fois de plus, et je faiblis : je reconnais mon visage en le sien, mes cheveux en les siens, mes épaules, mes seins inexistants. Je reconnais mes jambes perdues en celles que ma mère porte encore et actionne comme si je n'étais pas paraplégique. La peau de son visage éclairée par le soleil est lisse et sans rides malgré ses cinquante-huit ans. La dernière technique de sablage sans temps de récupération donne des résultats impeccables, elle est accessible à tous ceux qui en ont les moyens. Opération coûteuse n'exigeant aucun arrêt de travail, m'a-t-elle déclaré un jour.

Ma mère a les moyens de tout, à commencer par la jeunesse éternelle de l'épiderme. Dans sa chevelure abondante, d'un brun foncé qui rehausse le vert déjà trop vert de ses yeux, il n'y a aucun cheveux blanc grâce à Dragonax, un nouveau médicament à diffusion lente et contrôlée massivement prescrit qui s'implante sous la peau et réactive la pigmentation des cheveux qui l'ont perdue.

Aujourd'hui, l'inévitable est réversible. L'inévitable est évitable par rebroussement de chemin, par remontage dans le temps. Mais pas mes jambes. L'argent investi dans la recherche médicale va dans le sens du plus grand dénominateur commun : la maladie universelle des cheveux blancs. Tout le monde a, ou aura, des cheveux blancs ; tout le monde prend, ou prendra, du Dragonax.

« Qu'as-tu fait hier soir et ce matin ?

— Tu sais très bien ce que j'ai fait. »

Je pointe d'un index le plafond, mais ma mère ignore la direction désignée. Elle regarde plutôt par terre et voit l'assiette intacte d'où le poisson blanc et le fenouil s'en sont allés. Une défaite qui me paraît feinte se lit sur son visage où je vois mes propres yeux verts qui m'accusent de despotisme.

« Au moins, tu n'as pas vomi. »

Elle s'assoit sur le lit et jette enfin un œil au plafond, où mon écriture a disparu pour laisser place à un écran blanc, normal. Je me demande si la caméra continue de capter ma vie en images et en sons quand ma mère s'introduit dans mon intimité, quand elle s'impose en sauvage dans ma solitude pavée de couettes et de coussins, dans ma vie de chienne de luxe. Son regard cherche le mien qui part dans tous les sens comme une mouche mise sous cloche de verre, s'en saisit, l'obtient :

« Je n'en peux plus...

— C'est moi qui n'en peux plus.

— ... de faire des efforts pour une enfant gâtée qui ne pense qu'à elle...

— C'est moi qui fais des efforts. C'est toi l'enfant gâtée qui ne pense qu'à elle.

— ... qui tuent ceux qui l'approchent de trop près par ses rebuffades injurieuses...

— Tu me niaises ? C'est toi qui tues, maman, c'est toujours toi qui as tué. Rappelle-toi Léon ! Et ton père ! »

La réplique imprévue porte ses fruits. Ma mère ébranlée prend le temps de la remuer pour en percer le sens. Une balle de laine d'acier qu'elle tente de dérouler sans se faire mal. Son père mort. Son frère Léon, mort lui aussi. Il y a trop de morts ou de morts-vivants autour de ma mère pour qu'il n'y ait pas de lien entre elle et eux, entre son adéquation de poisson dans l'eau, sa perfection comme dans son salon, entre son indéfectibilité et le mal de vivre des autres. La comparaison est trop cruelle. Son agilité est trop lourde. Mais elle se reprend vite :

« Pourquoi ne m'aides-tu pas à t'aider ?

— C'est moi qui ai besoin de ton aide pour t'aider toi. C'est toi la malade de mère, la première métastase, c'est toi le cancer. Même ton père n'a pas pu se protéger contre ta propagation mortelle. Il s'est explosé la cervelle ! »

Ma mère me fustige du regard, je vois le diable dans ses yeux miroirs et ce diable, c'est moi. Son père, que je n'ai jamais connu, son plus grand tabou, son gouffre de silence, dont je n'ai que peu entendu parler, s'est tiré une balle dans la tête après que sa femme, mère de ma mère, soit morte d'un accident de la route dû à sa conduite téméraire, trop enthousiaste, d'une Porsche qu'il venait de lui offrir.

L'évocation de la cervelle déversée du père est la goutte de trop qui fait tout déborder. Ma mère me frappe, sa puissante claque m'atteint au visage et ma tête percute le mur derrière moi. J'ai mal en dedans et ça me fait du bien. L'envie de poursuivre dans la destruction est tombée et mes dernières paroles résonnent pendant un temps qui semble long, et au bout duquel elles sont engouffrées par le silence usé et chargé du remords qui suit tous les grands éclats.

La danse est finie. La boucle est bouclée. La conversation tout juste commencée avorte.

On ne peut pas parler aux miroirs, le face à face empêche toute circulation, toute régénération. Entre eux, c'est l'ère glaciaire, gelée et immobile. Tout à coup je me dégoûte, des larmes me montent aux yeux en même temps que celles de ma mère aux siens. Elle jette l'éponge en me révélant la présence d'un sac pendu au bout de son bras et dans lequel s'entrechoquent deux bouteilles de verre, signe d'abdication. Ce geste m'achève, finit de me ramollir, de me faire fondre.

C'est le bruit de l'alcool, sans doute de la vodka. Mon pain de ce jour. Sa main vient chercher la mienne qui n'a plus la force de la frapper, ni même de lui échapper.

« Je m'excuse, maman...

— Je sais que je ne devrais pas te faire boire...

— Je m'excuse, maman...

— ... mais je ne sais plus quoi faire...

— Oui, tu le sais, maman...

— ... je veux seulement que tu sois au moins un peu heureuse, même si c'est en te faisant boire. Tu es la seule à pouvoir décider de ce que doit être ta vie.

— Oui, maman. Je suis la seule à pouvoir décider de ma vie. Et aussi de ce que doit être ma mort.

— Non, Toinette, pas ta mort. La mort est trop grave pour en faire un commerce. Elle ne s'achète pas. La vie est trop précieuse pour se l'enlever ou la prendre aux autres, même s'ils semblent ne pas en vouloir. Surtout contre de l'argent. Ce Paradis et ses adeptes, ces endoctrinés qui le vénèrent et se sacrifient pour lui, ce monstre paiera pour les meurtres qu'il a commis. Son heure viendra. C'est un tueur en série, applaudi par certains, mais tueur en série quand même. Tu as eu beaucoup de chance d'avoir survécu, Toinette. Léon, lui, s'est fait envoûter.

— Léon s'est envoûté lui-même. Monsieur Paradis n'a rien à voir là-dedans, il l'a seulement aidé.

— Aidé ? Être aidé à mourir ? C'est du meurtre. De l'exploitation pécuniaire de la détresse humaine. Léon avait tout pour se sortir de son malheur, il était encore jeune, il pouvait compter sur moi. Mais il était malade et il ne voulait pas se faire soigner. Il devait vivre, Toinette, ne serait-ce que pour ne pas te mettre des idées dans la tête.

— Mais arrête ! Ces idées, je les avais déjà !

— La pression morbide qu'exercent les suicidés sur leur entourage est statistiquement prouvée. Il savait que tu t'identifierais à lui. Il savait qu'il te mettait en danger en frayant avec cette compagnie, qu'il allait ajouter un maillon à la chaîne des suicides dans la famille et te motiver à perpétrer le suivant.

— Léon ne voulait pas mourir parce qu'il était malade ou égoïste. Il ne voulait pas mourir parce qu'il ne voulait pas vivre. C'est ça que tu ne comprends pas. C'est parce qu'il ne *pouvait* pas vivre. La vie l'insupportait sans que la vie ne lui ait rien fait. C'est de naissance. C'est dans le sang. Ça se fout de la démocratie et de ce que les gens croient. Ça se réveille le matin et ça ne lâche pas de la journée. Et ça prend toute la place. »

Ma mère se détourne, je ne la vois plus, mais je sais qu'elle se raccroche à une part d'elle-même qui ne veut pas entendre, qui tient à ses idées, qui se rebiffe dans son enveloppe d'acier.

« Maman, Léon voulait mourir depuis très longtemps, peut-être depuis toujours. Chaque jour était rempli de la tentation de se tuer.

— Ça, tu ne le sais pas.

— Oui, je le sais. J'étais sa confidente. Jamais il n'aurait osé se confier à toi. Tu rayonnes trop, tu réussis trop, tu es trop *toute*. Les rayonnants n'ont pas d'oreilles, ils ne sont occupés qu'à ça, à leur propre complétude. »

Les gestes et les mots ne se rattrapent pas. Ils n'ont pas ce qu'il faut pour se défaire comme se défont les cheveux blancs. Ils n'ont pas leur Dragonax. Ils peuvent seulement être répétés, confirmés. Levée du corps de ma mère pendant que je pleure sans pouvoir m'arrêter. Des bruits de pompe sous le lit m'indiquent une défécation réactionnaire face à la bouteille, à la transformation de ma mère en *dealer*, en pourvoyeur de fille alcoolique. Du caca nerveux devant ma propre attitude de merde. Pendant que le paquet se rend par lui-même dans ses obscurs quartiers derrière le mur, ma mère nettoie la nourriture rejetée la veille sur la céramique.

Puis, dans la cuisinette, elle prend un verre, verse la vodka, du jus de fruits, des glaçons. Après avoir déposé le verre sur ma table de chevet, elle y place, juste à côté, la bouteille de vodka, ainsi qu'une assiette de charcuterie agrémentée de fromages, l'ensemble comme une mission empoisonnée accomplie.

« Je te laisse puisque tu ne veux toujours pas me parler comme du monde. Je reviendrai demain.

— À demain, maman. »

La mécanique des mots est venue au bout d'elle-même. Ma mère me serre une dernière fois la main d'une main tremblante. Elle s'apprête à dire « Toinette », mais elle se retient. Sa retenue me rend coupable et moche. Ses pas lourds vers la porte, ses pas voyagés par ses jambes qui franchissent cette porte, qui s'en vont claquant dans le couloir vers l'ascenseur. La rage me saisit, mon arrogance m'aveugle tandis que l'alcool bu à grandes rasades me réchauffe la gorge. Le cœur aussi. Sous toute réserve.

Je regarde le plafond blanc. Allons, encore un effort pour écrire, pour marcher vers ma version insubordonnée des faits :

« Ouvrir Paradis, clef en main ! »

* * *

Job a tout perdu par amour pour Dieu. Si j'avais été Dieu, et même en sachant que Job était soumis à l'absurdité d'une mise à l'épreuve proposée par Satan et exécutée avec ma bénédiction, sous ma scrutation perverse, jamais je n'aurais voulu de cet amour-là, pas même au bout d'un bâton de bois mort : c'est celui des chiens mouillés. C'est l'amour détrempé où l'on renonce à la distance respectueuse qu'impose l'aboiement.

Ma mère, je ne peux pas l'aimer. Ce n'est pas contre elle. Ce n'est pas une manière d'enfant gâtée de tester son endurance comme celle de Job. La haine est un garde-fou. La haine est un écran solaire qui me protège des intentions mortelles de ce qui brille trop fort, de ce qui est plus grand que moi, même si cette grandeur prodigue des soins. Ce tuage est dans la tête. C'est un truc psychologique. Les géants peuvent manger leurs enfants par accident. Ils peuvent écraser leurs enfants simplement en posant un pied devant l'autre, sans y avoir pensé, sans l'avoir voulu.

Moi, j'ai déjà tué pendant mon sommeil un chaton qui s'était lové contre mon corps élancé de jeune fille, et sur lequel il a peut-être fouiné avec son museau pour trouver des tétines avant de s'endormir en confiance. Le pauvre. J'ai dû rouler sur lui toute la nuit sans sentir son pelage à senteur de bébé, sans entendre ses miaulements dont il n'était pas encore capable, sans rien percevoir du combat touchant, parce qu'inutile, de ses pattes menues à peine griffées. Je ne l'ai même pas vu au réveil. Ce n'est qu'en revenant de la salle de bain où je m'étais longuement douchée, jusqu'à faire réagir ma mère contre le gaspillage d'eau chaude, un verre de jus d'orange à la main, que j'ai vu son petit cadavre de chaton sur le dos, au milieu du lit, les pattes repliées, les yeux fermés, sa minuscule langue rose sortie de côté comme un clitoris tiré hors de sa capuche, pendu, décroché de sa source de plaisir.

Ma mère, je ne peux pas la haïr non plus. C'est ça, le pire. Se battre contre une mère, c'est japper à contre-courant, c'est frapper un mur, c'est ouvrir grand la gueule sur sa propre gueule mordue et grande ouverte. Tout ce que je peux faire, c'est me tenir debout, façon de parler, dans l'alternance quotidienne des cris et des pleurs de repentir, dans le cycle rapide des coups de griffes et des caresses comme des pansements sur les coups. C'est cette danse infatigable qui me garde en vie, qui établit une limite entre l'intégrité de mon corps malléable, pâte à modeler, et sa dissolution. Un bouchon sur l'engloutissement dans Dieu la Mère sans cheveux blancs. Aux pattes d'oie dans l'œil. Sinon, autant être morte depuis le début.

Ces jambes qu'elle m'a données par héritage génétique m'ont ouvert des portes qui ne menaient pas à grand-chose. Aux hommes, par exemple, dont je me suis toujours foutue. Sauf de mon oncle Léon, qui formait, aussi, un bouclier humain devant ma mère mitraille, et à qui je ressemblais psychologiquement, faute de lui ressembler physiquement, comme à ma mère. Deux jumeaux de tristesse, Léon et moi, amants de la douleur morale.

Mes jambes m'ont toujours sauvé la face, c'est vrai, mais ça, c'était avant mon épopée chez Paradis, clef en main et la paraplégie qui s'est ensuivie. Je détestais la vie et la longueur de toutes les jambes du monde mises bout à bout pour former une circonférence macabre autour de la Terre, n'y aurait rien changé.

L'absence de raisons claires et identifiables, j'allais l'apprendre plus tard, faisait partie des conditions pour être une candidate idéale aux yeux de monsieur

Paradis : un désir de mourir qui soit pur, car intrinsèque à l'existence. Vouloir se tuer par simple fait d'être en vie. Surtout, avoir honte de ne pas pouvoir se tuer seul et d'avoir peur. Car pour avoir le privilège de mourir sous la supervision de Paradis, clef en main, il faut être effrayé aussi bien par la perspective de rester vivant que par celle de ne pas avoir le courage de se tuer.

Au lieu d'être morte, je suis paraplégique : la différence n'est pas très claire. Vorace du haut, aphone du bas. Un esprit malsain dans une demi-portion. Une tête de femme folle dans une moitié d'homme.

Mon sexe est mort avec mes jambes par promiscuité, par principe d'agglutination. Peut-être aussi par une sorte de solidarité organique indépendante de la volonté humaine. On dit souvent que les parties du corps communiquent entre elles et qu'à l'image des astres, elles obéissent à la loi de la gravité, de la masse, de l'attraction, qu'elles agissent les unes sur les autres comme des aimants, qu'elles s'élancent collectivement dans le précipice quand l'une prend les devants dans la maladie, main dans la main ou à la queue leu leu, comme les moutons.

Mon sexe éteint signifie que la masturbation qui pourrait me délester de l'absence de sensations, là en bas, du vide plein de merde chargé de sang et de peau, de la vacuité qui, pour mal faire, pour faire chier, pour souligner à gros traits ma propre bêtise de m'être donnée une raison valable de mourir une fois trop tard, est impossible. Mon clitoris est comme la langue pendue du chaton que j'ai tué. Détourné de sa fonction, tombé dans l'inutilité de l'appendice. Quand le cul, la plus accessible des compensations à la souffrance, en organe de la singerie humaine, en siège tombé en désuétude de la reproduction, est hors de portée de main alors même que l'on vit alité, quand la vie est livrée au robot, à la technique, que le mode de locomotion universelle de la marche ne marche plus, on peut dire en toute franchise qu'on est foutu.

Quand on existe dans ces conditions, on a raison de pleurer, de désespérer, de réclamer une mort propre couronnée de succès chez Paradis, clef en main.

Pourtant, je n'ai plus envie de mourir.

C'est ainsi.

La bouteille de vodka, à moitié vide, a emporté dans son semi-vidage toutes mes misères. Je ne suis ni trop saoule ni trop consciente. Je n'ai rien mangé de l'assiette de charcuterie, sauf les petits cornichons verts et une bouchée de brie. Dans peu de temps, moins d'une heure, je vais vomir.

En ce moment, je suis heureuse. J'éclate de rire pour la caméra qui me cherche. Peut-être. Encore et toujours la déduction. Je lui fais un show en montrant mes seins de rien, tout petits. Je lui en donne pour son argent, à ma mère-caméra, en pinçant mes mamelons et en hurlant des saloperies.

Malgré le bruit régulier de la pompe à urine qui signale des pipis en rafale, je me pète les bretelles de joie intense. J'ai envie de chanter et je chante n'importe quoi. Je fredonne l'air d'une polka sans savoir ce

qu'est une polka. La démesure du citronnier contient au moins deux fois plus de citrons qu'à l'ordinaire. Les fruits jaunes sont emportés dans un mouvement de grande roue et scintillent. Sur le mur de brique rouge-brun, les feuilles de la plante grimpante me saluent de leurs mains comme un seul homme, des feuilles-mains qui se comptent par centaines. Toute la chambre en frétille. Ses lianes et ramifications, entrelacs comme des cheveux mêlés, se tendent vers mon lit pour trouver un appui à leur croissance sans fin. La verdure qui égaye mes soirées veut elle aussi participer à la fête et boire un coup.

Un jour, déclare parfois ma mère, il y aura un traitement pour me réanimer le bas. Un jour, qu'elle dit avec sa jeunesse de vieille, je pourrai à nouveau marcher. Mais avant ce jour-là, avant que le doigt médical me pointe de son « Lazare, lève-toi et marche ! », il faudra d'abord empêcher le désœuvrement de me rendre folle, il faudra d'abord que, dans l'attente de mon retour parmi les vivants, les marcheurs vers demain, je ne perde pas toute ma tête.

La bouteille est maintenant par terre avec la charcuterie et le fromage. Il faut dire à ma mère de me trouver des cigarettes, aujourd'hui devenues une drogue illégale difficilement trouvable et sévèrement punie quand surprise dans un sac à main ou le coffre à gants d'une voiture.

Le lit m'entraîne dans un faux mouvement créé par l'ivresse. Les cercles décrits s'élargissent et subissent une accélération par à-coups. Faute de voyager avec son corps, il faut bien voyager avec des subterfuges

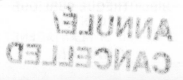

comme ceux de ses pensées avinées qui tissent un espace à l'architecture infinie tels les morceaux d'un miroir éclaté dont les reflets se croisent au hasard, aveugles au gouffre qu'ils jettent à la vue du monde.

Il faut bien se laisser couler au fond du puits de son esprit débridé, extensible et rétractable, cosmos et bactérie, capable de rabouter tous les temps, le passé et le présent, de construire un futur et de trans-former les désirs en réalité, instantanés de gloire toujours suivis d'une descente. Cette descente, c'est lorsque, après avoir chanté, je me mets à pleurer.

Le jour tombe sur la ville tandis que la tristesse, elle, se lève, se pointe, monte dans la chambre. L'envie de vomir me prend à bras-le-corps par vagues de plus en plus fortes. Bientôt, les spasmes secoueront ce qui reste de moi et les jets de vomissure, délices de soulagement, décharges concrètes de ma douleur morale, me recouvriront pour parachever le tableau du bébé nourri par forçage, puis langé.

L'anniversaire chocolaté répandu sur la bavette blanche. Le gâteau broyé, immangeable, de la boue sucrée. Une autre sorte de caca nerveux que je peux exhiber comme un trophée. Chaque fois que je parviens à faire jaillir les jets au-dessus de ma tête pour qu'ils me recouvrent le visage au bout de leur chute, et que je m'endors pendant qu'ils sèchent, continuant d'embaumer mon sommeil et de m'ac-compagner dans ma course rêvée, libre de jambes mortes, dégradées, en mollusque, c'est le pied.

Le rappel du passé, le présent de la paraplégie et l'alcool : voilà ce qui constitue l'espace de ma vie, mon carré de sable, mon terrain de jeu. Mon Triangle des Bermudes où je m'enfonce joyeusement en me perdant de vue. C'est ça, être saoule. C'est ça, la drogue en général : échapper à soi-même en essorant son propre corps, faire voler en éclats sa barque alors même que l'on reste couché sur le dos, immobile, au fond du néant.

LE PARADIS EST UNE COURSE À OBSTACLES

LA PREMIÈRE QUESTION qu'on pose aux candidats qui passent devant le comité de sélection de Paradis, clef en main, c'est : « Voulez-vous mourir ? » La suivante, c'est : « De quelle façon ? » Puis, les dernières paroles que les candidats risquent d'entendre de leur vie, quand, au bord du passage à l'acte, ils regrettent peut-être leur propre machination contre eux-mêmes, le pied engagé dans une manufacture d'anges blonds et de nuages à ciel bleu et l'autre, qui sait, dans le doute, ce retroussement de l'esprit, c'est : « Chez Paradis, clef en main, il n'y a pas de seconde chance. Si vous changez d'idée à la dernière minute ou si la procédure échoue, nous vous relâchons. Une fois votre liberté retrouvée, toute communication entre la compagnie et vous sera coupée. À jamais. »

Le moins qu'on puisse dire est que, dans cette organisation-là, dans cette industrie de mises à mort au secret mal gardé, on est peu loquace. Si je rassemble toutes les paroles prononcées devant moi, en dehors des entretiens avec le psychiatre, qui d'ailleurs n'avaient rien de thérapeutique, qui avaient plutôt l'air de comparutions, je ne pourrais pas remplir plus de deux pages.

C'est ce qui m'a sauvée. Je veux dire : l'échec de la procédure. J'ai été « relaxée », pour autant qu'une femme aux jambes en moins puisse reprendre sa liberté. On m'a transportée, alors que j'étais inconsciente, hors de la ville ; j'ai ensuite été repêchée par un garagiste, un vendeur d'anciens modèles de voitures rapiécées dont on veut récupérer le style tous les cinquante ans, des dinosaures d'une technologie désuète, New Beetle, Mini Cooper, PT Cruiser, au fond d'une cour à scrap des Cantons de l'Est où on m'a laissée pour morte. Ou encore, on m'y a larguée en me sachant toujours vivante, on croyait que j'allais mourir de ma belle mort, déshydratée, invisible parmi les carcasses de voitures, incapable de me traîner jusqu'à la civilisation, cette bonne samaritaine.

À cause de mon prénom, j'avais proposé du tac au tac un scénario sur mesure : décapitation à la guillotine. Mais à ce stade-ci, ça n'a pas d'importance : j'y reviendrai.

Pour tout dire, après avoir enclenché le mécanisme de la lame suspendue au-dessus de ma tête et qui devait me la trancher en tombant, après avoir actionné la guillotine qui allait m'enlever la vie, je n'ai rien compris de ce qui s'est passé. Je n'étais pas morte, mais je n'étais pas en état d'analyser la situation. C'était comme un accident vu de très haut et vécu froidement par manque de sensations. Je crois que je me suis crue morte pour vrai, l'inverse n'étant pas possible : jamais personne n'avait survécu, avant moi, à un suicide organisé par la compagnie.

L'état dans lequel je me trouvais ne pouvait être causé que par la mort et je me suis sans doute dit que si c'était ça, être morte, c'était de la duperie. C'était le plus long doigt fourré dans l'œil du monde. Ce n'était pas la libération annoncée. Ce n'était pas la mort de la conscience, même si la mienne, de conscience, était près du degré zéro, ce point de congélation, de résorption de l'être dans le rien.

Je ne sentais plus mes jambes et pourtant je me déplaçais, comme portée dans les airs. Ouvrir les yeux ne m'était plus possible, mais j'entendais des voix, des bruits feutrés, en sourdine, sans pouvoir en saisir le sens. Un brouhaha de pieds et de mains gantées qui se démenaient sur mon corps, le soulevaient de terre, me tâtaient le pouls dans, me semblait-il, une précipitation désordonnée. Je dus perdre connaissance. On m'a peut-être droguée comme on l'avait souvent fait, me droguer, me cogner, me faire dormir au gaz. Peut-être que, dans l'énervement, le médecin légiste censé confirmer ma mort m'a vraiment crue morte.

Ce qui s'est passé entre le moment où la lame est tombée sans me tuer, grâce à une défectuosité du mécanisme jamais éclairée, au miracle du rebondissement de la lame sur mon cou jamais confirmé, parce que sans témoins, et le moment où je me suis réveillée à l'hôpital, reste un mystère. Tout ce que je peux dire, c'est que je n'ai pas vu ma vie défiler devant mes yeux comme un film monté serré, ni le tunnel foutu d'une lumière au bout.

* * *

Aujourd'hui, c'est dimanche. Les dimanches ne m'apportent rien de spécial, aucune joie nouvelle. Le beau fixe à perpète. C'est un jour qui sert à ralentir le rythme du quotidien, à briser la folie de l'action monnayée, à permettre aux parents d'observer un moment de silence angoissé devant la perspective du lundi qui vient et aux enfants de contempler le spectacle de leurs parents désemparables.

Mes dimanches, ils aimeraient bien prendre congé de moi. Je les ennuie, alors ils essaient de s'en aller en sortant par les fenêtres de mon trou à merde, ils se prennent la tête, ils regardent au loin dans la ville moite, chaude, terrible, ils font ce qu'ils peuvent dans mon existence climatisée, déployée devant un mur de brique couvert de plantes grimpantes. J'aime l'immuabilité de ma vie. C'est comme baigner dans sa mère enceinte, elle-même emmurée dans une vie tout intérieur et sans remous : liquide amniotique, ingestion régulière de carburant par cordon ombilical, conscience minimale du dehors. Marcher me manque, c'est indéniable, mais puisque je ne peux le faire avec mes jambes, je préfère encore rester couchée. J'ai une fierté. Des critères esthétiques à respecter. Des principes : mes jambes ne peuvent être vues si elles ne se déploient pas de tout leur long, elles sont trop belles pour être ramassées dans la station assise, trop enviables pour être annulées dans leur pliage.

Ma mère, pendant un an, dans un tapage de larmes et de lieux communs sur la vie, a tenté de me convaincre de me déplacer en chaise roulante motorisée, « haut de gamme », comme mon lit.

« Toinette, tu ne peux pas refuser plus d'autonomie. Plus de liberté. Tu dois sortir de l'isolement. Il faut que tu te relèves. C'est tuant, à la fin, ton entêtement à rester au lit, alors que tu pourrais prendre l'air dehors. »

Je ne l'écoute pas. Comme toujours, je ne pense qu'à la prendre en faute. Qu'à la prendre au mot.

« Tout est tuant, à la fin, maman. Même la vie. »

Son regard vert intense se plante alors dans le mien. D'abord la reconnaissance de notre lien qui s'établit par les yeux, ensuite un début de sourire de part et d'autre. Ma mère baisse la tête, regarde par la fenêtre.

C'est l'un de ces moments de complicité paisible que j'ai toujours repoussés de toutes mes forces. Par impossibilité physique dans le côtoiement maternel. Pourtant, il suffirait de baisser les armes. Alors le silence pourrait s'installer, la guerre être évitée, mais par habitude je m'entête. J'aboie :

« Quand les autres ouvrent les portes et cèdent le passage aux handicapés motorisés, ce n'est pas de l'ouverture. Ce n'est pas de la compagnie non plus. C'est de l'obéissance. Du civisme gonflé de pitié. C'est de la dictature. Du terrorisme de trottoir. Je n'ai pas besoin d'une latrine roulante, aussi électrique, performante et pratique soit-elle !

— Que tu es dure, Toinette ! »

Ma dureté, ma carapace intellectuelle. Mon bouclier toujours levé. Chaque fois que ma mère la touche du doigt, ça me donne envie de pleurer, de me dissoudre à ses pieds, de la laisser gagner. Alors je jappe plus fort :

« Non, je ne suis pas dure. C'est toi la dure à cuire ! C'est toi la dure de cœur ! La main de fer !

— Arrête de me blâmer tout le temps. Je ne cherche qu'à t'aider. Qu'est-ce que j'ai fait pour que tu me détestes autant ? »

Et la danse de recommencer, pareille, monotone, une rengaine qui écorche toujours aussi creux, aussi loin dans la chair. La douleur ne s'émousse pas dans la répétition. Au contraire : la douleur finit par souffrir encore plus de se découvrir sans cesse rejouée, de se savoir si prévisible.

On est dimanche et le citronnier, énorme, lourd de sa générosité acide et ensoleillée, a retrouvé son nombre normal de citrons. Les objets ne tournent plus autour de moi, le monde n'est plus engagé dans son vortex replié sur mon lit. Rien n'entame plus son ordre établi, parce que ma mère, le dimanche, ne m'apporte jamais à boire. C'est le jour du Seigneur, du jeûne forcé, de la désintoxication.

C'est mon oncle Léon qui m'a ouvert la porte de la compagnie via Internet. Sans lui, je n'aurais jamais pu y accéder. Avant de mourir, il m'a donné une adresse électronique et une clef qui crypte l'encodage et qui multiplie les numéros, rendant impossible la localisation de la provenance des messages en produisant de perpétuelles nouvelles séries de chiffres. Une adresse, une clef, des mises en garde : « Ne parle jamais de ça à personne. C'est ton affaire. Ça ne regarde personne, surtout pas ta mère. Promets-le-moi, de ne rien dire, jamais. »

Puis aussi : « Il faut que tu t'armes de patience. Sois résolue, mais garde ton calme. Ne fais pas de crises d'enfant gâtée. Le suicide est un art, pour eux. Ils recherchent le raffinement chez leurs candidats, ils aiment la maturité dans la décision du geste. Ils vont chercher à te déstabiliser. La grande confusion autour de la compagnie, les histoires farfelues, à dormir debout, c'est voulu. Souvent tu te demanderas s'ils te font marcher. Ils te mettront à l'épreuve. Si tu souhaites vraiment mourir, tu trouveras ton chemin dans leur labyrinthe jusqu'à la sortie. Tu mourras. »

Comme il m'avait dit de le faire, j'ai d'abord envoyé un message dans lequel je me présentais dans les grandes lignes, *Voilà, je m'appelle Antoinette, j'ai envie de mourir et j'ai besoin de votre aide parce que j'ai aussi peur de la souffrance que de la vie, et que je ne veux pas me tuer sans l'assurance d'y parvenir, je ne veux pas me rater encore et encore, et je ne veux pas non plus mourir dans l'ordinaire, mourir comme j'ai vécu, etc.* — et où je leur annonçais mon lien de parenté avec Léon. Une heure plus tard, on m'a répondu :

Votre demande est acceptée. Veuillez attendre votre
première convocation. Merci d'avoir fait appel aux
services de Paradis, clef en main.

La rapidité de la réponse m'a prise de court. Sans
savoir pourquoi, je m'attendais à un délai réglementaire de quarante-huit heures. Et si on me convo-
quait le jour même ? Et si je mourais là, aujourd'hui ?
Un autre caprice des suicidaires : mourir, oui, mais
mourir en contrôlant les paramètres. Quand on
délègue, on se crispe. On se sent tiré dans le dos.
Exécuté et non plus assouvi. C'est comme laisser un
passeport dans le coffre à gants de sa voiture déverrouillée ou son enfant à une nouvelle gardienne :
l'impondérable nous envahit, tarabuste, les pensées
restent dans le coffre à gants ou avec l'enfant, à
surveiller le système de surveillance.

Mon oncle qui était déjà mort ne pouvait plus me
venir en aide par ses conseils ou ses mises en garde.
De leur imprévisibilité, il m'avait déjà prévenue.
Seule la « cueillette » avec un chauffeur invisible
chauffant assis derrière une vitre teintée, pare-balles,
reste une constante pour tous les candidats, dans un
lieu déterminé un jour à l'avance, un lieu toujours
public, rempli de gens, de mouvement, de va-
et-vient, propre de soupçons.

Un mois sans nouvelle est passé. La peur d'avoir
été oubliée me prenait souvent, mais je gardais
confiance. J'étais protégée par la renommée de mon
oncle et, pour la première fois de ma vie, j'ai cessé
d'imaginer comment j'allais me tuer. J'ai cessé de

faire des plans, même lointains. La crispation face à l'impondérable s'est peu à peu transformée en soulagement : je n'avais plus rien à faire, qu'à me laisser porter par le vent du professionnalisme. Mon heure viendrait dans un délai raisonnable et sur un plateau d'argent.

Cinq semaines après leur avoir écrit, après que m'a demande eut été acceptée, j'ai reçu cet autre message :

Veuillez vous rendre demain, à 13 h 30, dans le parc de stationnement coin Berri et Ontario, 8e étage, section C, espace 35.

Ce jour-là, donc le lendemain, c'était un jour superbe d'un été indien qui s'attardait, qui prenait son temps pour arracher aux arbres leurs dernières feuilles. La ville était jaune et orange, rouge et brun, et l'humidité, pour une fois, n'alourdissait pas tout. La pellicule d'eau en apesanteur qui s'écrasait sur les épaules, en route vers l'activité, avait desserré son emprise. Un vent chaud et fort balayait les feuilles dans un bruissement qui ressemblait aux applaudissements d'une foule composée de nains, plus petits que des enfants, où l'on sent des creux et des montées de vagues causées par un effet d'entraînement.

C'était la plus belle période de l'année et j'étais au bout de mes peines. Je n'étais pas apeurée, mais je n'étais pas calme non plus. J'étais submergée par une quantité d'émotions contradictoires et, pour en finir avec elles, avec leur tumulte trompeur, pour m'empêcher de courir à ma mère et tout lui raconter, à elle ou encore à un journaliste, j'ai décidé de considérer l'aventure comme m'étant imposée de l'extérieur. Non comme un choix que j'aurais fait, mais comme un *act of God*. Ou ce qu'on nomme le destin, cette force contraignante et inéluctable contre laquelle personne ne peut rien. Sous cet angle, reculer n'était plus possible : ce que j'avais enclenché par ma volonté me surplombait désormais, me dépassait de telle manière que mon projet devenait le projet de tous. À la limite, mon suicide n'était plus de mon ressort. Il m'avait échappé.

Je suis arrivée au coin Berri et Ontario une demi-heure à l'avance, mais je ne me suis pointée au huitième étage du stationnement qu'à 13 h 25, me donnant cinq minutes de jeu, en fille nerveuse qui ne veut pas paraître empressée ni trop zélée. Dégagée en même temps que poliment concernée.

Le huitième étage était saturé de voitures ; seuls quelques places étaient libres parmi une quantité approximative de six cents espaces de stationnement ; chose curieuse, il n'y avait personne ou presque, qu'un homme au loin, là-bas, se dirigeant vers sa voiture démarrée à distance dont le moteur émettait un faible bruit, et une femme, à ma droite, passant la porte d'une cage d'escalier, ne prenant même pas la peine de regarder dans ma direction.

D'un pas pressé, je me suis dirigée vers la section C, le souffle court, le cœur à tout cran, essayant de penser le moins possible aux raisons distrayantes pour lesquelles je me trouvais là, tentant de me concentrer sur la tâche à accomplir, c'est-à-dire me rendre au lieu du rendez-vous le plus vite possible. Une tâche qui s'est révélée plus difficile que prévu.

D'abord, pour voir les numéros, je devais passer entre les voitures et le mur, la colonne ou le petit remblai de béton sur la partie inférieure de laquelle ils étaient inscrits. La section C était beaucoup plus grande qu'elle ne paraissait de prime abord, comme si son horizon reculait au fur et à mesure que j'avançais, comme si la surface habitable sous mes pieds se dépliait vers de plus grandes surfaces, elles aussi dépliables ; je regardais compulsivement ma montre, 13 h 38, 13 h 39, 13 h 40 et le numéro restait introuvable.

Quelques propriétaires de voitures qui entraient ou sortaient du stationnement me jetaient des regards vagues et soupçonneux, sans doute intrigués par la présence d'une jeune femme se penchant devant des voitures et se relevant avec un air perdu pour se faufiler devant la voiture voisine, mais sans plus.

Quelque chose clochait avec les nombres, dont l'organisation n'était pas nette. Dans la montée de l'affolement, j'ai noté des incongruités : à certains endroits, ils étaient peints en jaune (ceux-là étaient un peu effacés par l'usure, parfois à peine lisibles), alors que d'autres étaient frais peints en blanc et tracés à la va-vite, comme à la main. Du bâclage louche, inexplicable, dans un endroit censé ordonner le chaos des voitures pêle-mêle. Pire : à d'autres endroits, la succession des nombres était brisée par un nombre discordant ou manquant, perdu, déplacé, qui n'avait rien à voir avec l'avant et l'après, qui indiquait une erreur grossière ou une volonté absurde de confondre la clientèle : 22, 23, 24, 885, 26, 27, 28.

C'était à n'y rien comprendre. Même aujourd'hui, après avoir fait des recherches pour me rassurer, pour corroborer mes perceptions, je n'y comprends toujours rien. Aucun article de presse, aucune plainte adressée à la Ville, comme si le désordre de la numérotation s'était installé juste pour moi et s'était replacé en ordre après mon départ. Une idée typiquement paranoïaque, affirment tous les psychiatres, sauf celui de Paradis, clef en main.

Quand j'ai enfin frappé la rangée où commençaient les nombres de la trentaine, j'avais déjà un *feeling*. Qui s'est changé en fait concret : le nombre 35 n'existait pas. Comme les treizièmes étages : effacés, niés, abolis. Entre 34 et 36, il n'y avait pas 35. Tous les autres nombres disposés en ordre croissant s'y trouvaient, mais le 35 était absent : 30, 31, 32, 33, 34, 36, 37, 38, 39...

C'est le premier obstacle, la première épreuve, voilà ce que je me suis dit. Ce ne pouvait qu'être ça, c'était forcé. Par quelle coïncidence n'y aurait-il pas eu à ce moment le nombre 35 dans la section C du huitième étage, celui-là même que je devais trouver dans ce stationnement débile à énigme ?

Des idées en rafale me traversaient l'esprit : je m'étais trompée d'étage ; je m'étais trompée de stationnement ; j'avais mal lu les informations du message pourtant lu mille fois ; il aurait fallu que je vienne avant la date de convocation faire une étude de terrain et j'ai négligé de le faire ; un sablier invisible perdait son sable à toute vitesse, calculait le temps que j'allais prendre pour trouver le nombre ratoureux, malin, comme une souris chronométrée de laboratoire dont on espionne les dérapages, la détresse attendue ; le chauffeur avait déjà quitté les lieux, me jugeant trop lente, trop peu futée, mal dégourdie.

L'unique possibilité, que j'ai pensé, était qu'on avait déplacé le stationnement 35 ailleurs, quelque part sur l'étage, n'importe où. J'ai parcouru la section C à grandes enjambées mais le numéro 35 se dérobait toujours.

Un moment, après une vingtaine de minutes à fouiller méthodiquement, rangée par rangée, je me suis mise à courir comme un animal en cage d'une extrémité à l'autre de la section, puis de l'étage, me penchant au hasard sur le devant d'une voiture pour lire le numéro du stationnement qu'elle occupait. J'ai regardé cent fois ma montre et je me souviens de cette heure sans savoir pourquoi : 14 h 27. Une heure de retard, une heure de supplications intérieures, de demandes d'aide à une supériorité protectrice pour qu'elle me précipite vers ma mort.

L'étage au complet s'est mis à tournoyer, je ne reconnaissais plus les voitures que j'avais pourtant recensées, les rangées et les couloirs se sont allongés, illusion d'optique diabolique que seuls les rêves peuvent reproduire. Malgré les avertissements de

mon oncle, je me suis crue jouée. J'ai pensé avoir
échoué, comme ça, par manque d'adresse et de
temps. La vue embrouillée par les larmes qui me
montaient aux yeux, je suis retournée sur mes pas
pour revoir encore une fois l'enchaînement des
numéros à partir du nombre 30. Pendant que je m'y
dirigeais en pleurant sans plus me retenir, une
voiture s'est dégagée d'un espace de stationnement.
J'allais m'éloigner pour la laisser reculer mais j'ai eu
un autre *feeling*, celui qu'elle ne s'en allait pas pour
rien.

Je me suis donc arrêtée, toujours en larmes, un
peu à l'écart. J'étais en effet au bon endroit, au bon
moment. Une fois la voiture dégagée, j'ai pu enfin
voir ce qu'on voulait que je voie : le stationnement
désormais vide n'était pas numéroté. À la place du
numéro attendu, il n'y avait rien. Un espace vierge,
intact. Et, juste là, sur le sol bétonné, une canette.

C'était la réponse.

Je venais de trouver le stationnement C35, logé
dans la canette qui renfermait mon lieu de rendez-
vous et qui ne demandait qu'à en sortir pour trouver
sa place, pour se déployer sous mes pieds. Avant
même de saisir cette canette offerte sur le sol, je savais
ce que c'était, j'en avais vu les traces bâclées à gauche
et à droite sur tout l'étage : une bonbonne de peinture
blanche en aérosol. D'une main tremblante, j'ai tracé
un 35 là où aurait dû se trouver un numéro. Je me
suis reculée, satisfaite, la mission accomplie au
ventre. Le 5 qui faisait des coulisses était plus gros que
le 3, mais ça m'était égal. Je venais de découvrir la

première clef. Je venais aussi de tourner cette clef dans la première serrure.

Puis, j'ai fermé les yeux d'où les larmes coulaient encore en abondance. Quand une voiture s'est arrêtée, à peine une minute plus tard, dans l'espace que je venais de numéroter à l'artisanal, je ne les ai pas tout de suite rouverts, je suis plutôt restée immobile, concentrée sur ma respiration devenue immaîtri- sable. J'ai attendu plusieurs minutes, comme si, en plus de reprendre le contrôle de mon propre souffle, je voulais moi-même éprouver la patience de ce qui se présentait comme un adversaire : Paradis, clef en main.

C'était une voiture bleu foncé, d'apparence ordinaire, aux vitres teintées, à la plaque d'immatricu- lation sans particularités, avec un moteur qui tournait tranquillement, une portière déjà ouverte qui m'attendait, qui m'invitait. Qui ne me résistait plus.

Jamais je n'ai été aussi contente d'entrer dans une voiture de ma vie. C'était comme si je n'allais pas mourir. C'était comme si je venais d'être sauvée.

Une fois à l'intérieur, la portière refermée avec un élan d'enthousiasme qui ne me ressemblait pas, j'ai gaiement lancé un « Bonjour, je m'appelle Antoinette et je viens pour la convocation ! » de greluche écer- velée, comme si le conducteur était une personne normale et non un chauffeur de corbillard, comme si j'étais dans un taxi, une soirée Tupperware ou une réunion d'alcooliques anonymes. C'était une drôle d'idée à cause du contexte, cette initiative de ma part, mais aussi parce qu'il y avait entre moi et le

chauffeur, dont je n'ai jamais pu voir qu'un derrière
de tête flou, une vitre opaque et bosselée comme une
porte de douche qui bloquait la conversation et les
échanges de regards dans le rétroviseur.

Fixé au dos du siège devant moi, un écran s'est
allumé en même temps que s'est mise à jouer une
musique corporative mièvre activée par ma seule
présence (enfin j'imagine), une réaction techno-
logique préprogrammée ; l'écran afficha d'abord le
logo si connu, qui nargue, provoque, effronterie de la
facilité, de la compagnie : un simple bouton rouge,
de bonnes dimensions, aux allures de jouet d'enfant,
l'un de ces gros boutons qu'on actionne avec trem-
blements et perles de sueur au front dans les vieux
films de guerre remplis d'ordinateurs géants, de
centres de contrôle bourrés de moniteurs, de radars,
de *bips*, de bobines enregistreuses en marche, pour
lancer une bombe sur fond d'alerte hurlante. Sur le
bouton rouge était inscrit « Paradis, clef en main »
avec un lettrage élégant qui en épousait la rotondité,
et ce bouton, symbole de la menace prête à exploser
aussi bien que de la promesse d'une libération, elle
aussi radicale et définitive, semblait crever l'écran et
paraissait si vrai que je l'ai touché du bout des doigts.
Sitôt disparu, le logo a laissé place à un message :

*Vous n'avez pas le droit d'adresser la parole au chauf-
feur ou de poser des questions, ni de tenter de sortir de
la voiture en marche. Vous serez conduite à l'endroit où
se tiendra votre première convocation. Quand elle sera
terminée, vous serez ramenée chez vous. Bonne route,*

*et merci de faire appel aux services de Paradis, clef en
mains.*

L'épreuve d'endurance que je venais de subir dans le
stationnement me rendait agréable cette prise en
charge froide et impersonnelle. Il me semblait que le
pire était passé. Je me trompais. J'étais dans le champ
des présomptions. Dès que nous sommes sortis du
stationnement étagé, j'ai eu le réflexe de relever le
plus grand nombre de détails possible : conduite sur
Berri direction sud ; rassemblement de jeunes punks
dispersés dans un parc sans arbres d'où on tente
toujours de les chasser, rebelles d'infortune dont certains osent encore commettre le crime de fumer la
cigarette au grand jour ; masse proprette des piétons
aux visages uniformément tournés vers leur car-
rière ; feuilles d'automne tourbillonnantes, la seule
présence sauvage dans la ville ; virage à droite sur
Viger, direction autoroute Ville-Marie ; court plongeon dans les entrailles du centre-ville ; sortie pont
Champlain et conduite décidée, bien menée avec
dépassements. Puis, entrée sur le pont Champlain,
entravé par plusieurs chantiers de construction.
    La circulation, étonnamment fluide en ce début
d'heure de pointe où, en temps normal, les voitures
avancent, poussives, pare-chocs à pare-chocs, me
permettait quand même d'enregistrer des éléments :
j'observais le visage des conducteurs, leurs mines
affectées ou impassibles, celles des autres passagers
quand il y en avait, je tentais de déterminer s'ils
avaient eu une bonne journée, s'ils étaient heureux

ou minés, allègres ou exaspérés, si comme moi ils étaient tenaillés par l'idée du suicide.

J'embrassais le monde extérieur avec avidité, le bleu du ciel qui flashait à travers la structure du pont en construction perpétuelle, la surpopulation des maisons clones cordées coude à coude de l'autre côté du fleuve, comme si tout m'apparaissait pour la première fois. Je me laissais aller à une rêvasserie inappropriée quand j'ai entendu un son étrange. Un *pssssh*. Un petit trou que je n'avais pas remarqué, situé en bas de l'écran, dont le noir se confondait avec le cuir du dossier, a relâché un jet gazeux qui, en un rien de temps, a empli l'arrière de la voiture d'une vapeur blanchâtre à l'odeur piquante, toxique. Quelques secondes plus tard, j'ai dû être engloutie dans la gueule intemporelle de l'inconscience. Le passage au noir, ça ne se vit pas. Ça ne peut que se supposer une fois de retour, le *blackout* n'étant pas une expérience à proprement parler, mais une déduction.

J'ai mis du temps à me relever, à émerger par petites bouchées, petites pousses ; je me réveillais, molle, lourde, je tentais de bouger, de me rasseoir pour sombrer à nouveau dans le noir et pour me réveiller encore, moins molle et moins lourde. Quand je me suis assise, après de nombreuses percées manquées, et que j'ai pu avoir une vision moins brouillée du dehors, je me suis aperçue que nous roulions toujours sur le pont Champlain, mais sens inverse : nous entrions dans Montréal au lieu d'en sortir. Le trafic, devenu dense, fouetté par un vent fort et encore chaud, nous immobilisait, nous faisait avancer par à-coups.

Un coup d'œil à ma montre : 17 h 07. Nous avions roulé pendant deux heures, sans que je sache où, ballottée, sans repères. C'était du kidnapping. L'idée que nous avions pu rester sur le pont, sortant de la ville pour y retourner aussitôt, roulant en circuit fermé pendant deux heures au-dessus de la paresse des flots du fleuve Saint-Laurent, ne m'est pas parue impossible. Ou celle, aussi envisageable, qu'on m'avait emmenée à la convocation endormie, inconsciente et malléable, dans le seul but de m'inspecter le corps à loisir, de me faire subir des tests médicaux, de me tripoter les neurones avec des électrodes, pérorer sur mon cas, la convocation n'étant en somme qu'une procédure unilatérale. En examinant mes avant-bras, j'ai en effet repéré des traces de seringues, petits points bleus douloureux au creux des bras. On m'avait piquée, on avait fait des prélèvements sanguins, et c'était sensé : avant de m'accorder la mort, il leur fallait d'abord s'assurer que j'étais en parfaite santé. Par ailleurs, je commençais déjà à m'habituer aux caprices stratégiques de la compagnie, à son manque d'orthodoxie, à l'insolite de ses façons de faire.

Quand nous avons repris Berri direction nord, j'étais certaine que le chauffeur allait me ramener dans le stationnement où il m'avait cueillie. Mais nous sommes passés sans même ralentir, sans réaction du conducteur fantôme. Puis, quand nous avons pris Saint-Denis vers l'avenue du Mont-Royal, j'ai pensé qu'il allait me déposer chez moi, à ma porte. Pourquoi ne sauraient-ils pas où j'habite ? Pourquoi ne sauraient-ils pas tout sur moi, mon dossier médical, mes performances scolaires, mes tentatives de suicide, mes hospitalisations ? Mais alors pourquoi prendre ces précautions extravagantes pour ne pas être repérés ou suivis, si c'est pour, au final, s'exposer au grand jour, à la vue de mes voisins ou même de ma mère qui guette, qui sait, mon retour ?

Je m'en faisais pour rien. Je pensais pour rien.

Toutes ces réflexions étaient inutiles, des scories dans le tableau d'ensemble, du gaspillage. Du pelletage de nuages mentaux.

Nous sommes passés devant chez moi, encore une fois sans ralentir. L'imposant immeuble en brique rouge où j'habitais m'est passé sous le nez. J'ai vu ma propre fenêtre de chambre ouverte, mes rideaux vert pomme battant au vent, libres de flotter grâce à l'absence de moustiquaire, et la frimousse de mon chat gris tigré en quête de fraîcheur, posé sur le cadre, la queue roulée autour de lui. La pensée que ce n'était pas fini, que ce n'était peut-être même pas commencé, m'a découragée. J'en avais marre. Le stress, les larmes, l'inconscience, la route, toutes ces heures m'avaient épuisée. Je ne comprenais rien. Je comprenais qu'on voulait que je n'y comprenne rien. La ruse était inextricable, c'était une impasse : même sachant ça, on ne sait rien, c'est égal. En même temps, je devais rester convaincue et accommodante, mon oncle me l'avait expressément demandé ; sans doute voulait-il être fier de moi façon post mortem. Du moins, il ne voulait pas mourir sans me livrer un dernier enseignement, comme une fierté arrachée à sa vie de chien.

À quelques rues de chez moi, le chauffeur s'est arrêté. Sur l'écran, un autre message est apparu :

Vous devez maintenant sortir de la voiture et monter au 10ᵉ étage de l'immeuble en face duquel vous vous trouvez actuellement. On vous y attend pour votre convocation. Bonne fin de journée et merci d'avoir fait appel aux services de Paradis, clef en main.

Je connaissais déjà cet immeuble commercial pour l'avoir fréquenté pendant des années. Je connaissais aussi le dixième étage : c'était un centre d'entraînement physique, un Nautilus immense et moderne où j'avais suivi des cours de spinning, de pilates, d'aérobie et de kickboxing. Avant, j'étais une mordue du sport d'intérieur, de l'exercice onaniste, de la dépense dans son coin, de la douleur, de l'égratignure. Ainsi sont les suicidaires : incapables d'esprit d'équipe ni de retenue, d'économie, toujours à la recherche de l'éclatement physique dans la solitude de leur tourmente.

J'avais deux choix : ou j'abandonnais tout de suite, ou je cessais de me poser des questions. De toute évidence, on voulait m'éprouver, on voulait me casser, interdire de sens ce que je pourrais dire sur eux ou contre eux ; mieux valait donc agir en soldat, en robot, continuer de monter les étages, de marcher, de chercher, d'être gazée.

Je suis montée au dixième, je suis entrée dans la salle d'entraînement sans un regard pour les deux réceptionnistes qui s'attendaient à ce que je leur montre une carte de membre. Sans doute m'ont-elles reconnue. Pour une raison ou pour une autre, elles n'ont pas tenté de me retenir, de me déclarer en état d'infraction. Dans le gym, il y avait un monde fou. Jamais de ma vie je n'ai vu autant de membres s'entraîner en même temps. Spontanément, j'ai commencé à chercher parmi eux un élément discordant, quelqu'un de louche. Par exemple un vieillard ou un juif hassidique, ou encore un homme me regardant avec insistance, vêtu d'un t-shirt arborant le logo de la compagnie, un gros bouton rouge imprimé sur le torse ou dans le dos, bref, quelque chose de voyant, d'évident, une déflagration visuelle, mais rien de spécial ne s'offrait à moi. Partout, des coureurs sur tapis ou bicyclettes, des souleveurs de poids, des corps en sueur ou en assou-plissement, tous d'âge et d'apparence moyens, stan-dards. La climatisation, poussée à fond, faisait du bien sur la peau et me fouettait les idées soudain très claires.

Je suis allée dans le vestiaire des femmes qui était plein à craquer : rien à déclarer. Puis dans celui des hommes. Inutile de mentionner que j'y ai fait sen-sation, au point où tous se sont arrêtés dans leur activité, même ceux qui se séchaient les cheveux, le séchoir comme un fusil pointé vers leur tempe, les regards surpris échangés entre eux, le geste de leur main libre se couvrant le sexe. Les hommes sont plus pudiques qu'on le croit. Pour les faire rougir, il suffit de les surprendre, il suffit qu'ils ne soient pas les instigateurs.

Je fouillais du regard tous ces hommes pour trouver sur leur chair nue parfois enveloppée d'une serviette blanche un élément, un signe ostentatoire de Paradis, clef en main. Rien, que des queues, que du poil, que des regards de travers, que des muscles et des remarques : *tu t'es trompée de vestiaire, c'est l'autre en face, de l'autre côté, celui avec une petite bonne femme sur la porte.* Que du réglementaire.

Je suis sortie pour faire le tour du propriétaire. L'affolement me reprenait et, encore une fois, je devais retenir mes larmes. Il fallait que je passe inaperçue et ce n'était pas réussi : j'avais l'impression d'être épiée ; le bruit s'était peut-être répandu que j'avais fait irruption dans le vestiaire des hommes. Alors je me suis assise pour réfléchir. J'ai promené mon regard autour, calmement, en me convainquant qu'à trop chercher les indices on les perd de vue : les indices sont souvent plus près qu'on le croit, ils s'offrent d'eux-mêmes, se révèlent au bon moment. J'ai donc lâché prise, me rendant compte du coup que j'étais affamée et que je n'avais plus de sac à main : je l'avais laissé dans la voiture.

Continuant de chercher machinalement des yeux sans vraiment chercher, j'ai vu ce que je devais voir : la série de grandes fenêtres qui donnaient sur le mont Royal ainsi que sur une bonne partie de la ville. Le Nautilus n'était pas le lieu de la convocation mais une vitrine me permettant de le voir, c'était du moins mon *feeling* et, jusqu'à présent, mon *feeling* ne m'avait pas trahie.

Je me suis avancée vers les fenêtres dans le but d'analyser le paysage. Qu'y avait-il en plus, en trop ? Où avait-on installé un drapeau ? Une pancarte ? Des flèches ? Ou alors que manquait-il ? Qu'avait-on supprimé du paysage ? Le mont Royal était désespérément fidèle à lui-même. Aucun nouveau commerce dans les environs, rien de nouvellement détruit non plus. Les immeubles autour étaient les mêmes qu'avant. En fait, je devrais plutôt dire : les toitures des immeubles étaient les mêmes, car je les voyais d'une certaine hauteur, éclairées par les lumières de la ville qui se mariaient avec la lumière naturelle de la nuit naissante, le mélange colorant le ciel sans nuage d'une couleur mauve étonnante, profonde et très belle, irréelle.

Sur l'une des toitures, j'ai remarqué quelque chose que je n'avais jamais vu avant : une porte. Non pas une porte de cagibi ou de cage d'escalier, juste une porte. Une porte dans le vide. Qui ne servait à rien.

Ce qu'on voulait que je trouve ne pouvait être que ça. Une porte laissée pour compte, non attenante à quoi que ce soit, ça ne se peut pas, dans la vraie vie. On ne fait pas ainsi de la poésie architecturale dans le monde normal de la fonctionnalité. La vision de la porte sur fond de ciel mauve aurait pu à elle seule marquer des vies, mais il y a eu, en plus, cette autre vision, prolongement de la première, que jamais je n'oublierai : un homme en est sorti.

La porte s'est ouverte et l'homme s'est avancé sur la toiture, vêtu d'un complet gris et d'un chapeau melon. Il l'a ensuite refermée avant de regarder dans ma direction. Il m'a trouvée sans même me chercher. Une minute a passé sans que nous nous lâchions du regard. Il était habillé de manière étrange, vieillotte, comique (personne ne porte de chapeau melon à notre époque), il avait aussi un âge incertain, entre trente ans et soixante ans. Difficile à dire.

De la même manière qu'il est apparu, c'est-à-dire de nulle part, de l'arrière d'une porte orpheline donnant sur une toiture déserte, il a retraversé la porte pour se fondre au noir, se volatiliser, tel un magicien dans son nuage de fumée blanche.

Une chose était sûre : je devais y aller, je devais ouvrir cette porte. C'était celle de Paradis, clef en main.

* * *

Le sprint final n'a pas duré plus de cinq minutes. Je suis sortie du gym ; j'ai couru jusqu'à l'immeuble désaffecté à la toiture ornée d'une porte cueillie au pays des merveilles ; j'ai monté des escaliers en fer forgé qui donnaient sur une ruelle entravée par des conteneurs à déchets et j'ai enjambé une échelle branlante qui menait au toit. L'idée que des gens pouvaient me voir et alerter les autorités ne m'a même pas effleurée. La possibilité d'être arrêtée par quoi que ce soit était nulle, écartée, de la fanfaron-nade. Je n'étais plus qu'efforts tendus vers la carotte brandie, orange de promesses, de repos éternel mérité suite au travail accompli. À portée de main, ou presque.

Sur le toit, la porte m'attendait, curieusement éclairée par une ampoule fixée sur son cadre et de laquelle pendait une chaînette que j'ai tirée. L'ampoule s'est éteinte. Une réaction normale qui m'a pourtant surprise : je n'en étais pas à une étrangeté près, c'est vrai, l'ampoule aurait pu exploser, relâcher un poison, se mettre à parler, à faire de la musique. J'ai ensuite ouvert la porte alors que j'aurais pu simplement la contourner. Derrière, il y avait un trou carré qu'une échelle plongeait vers un fond impossible à distinguer à cause de la noirceur.

Du gym, je ne pouvais rien voir, qu'une illusion d'absence, mais la découverte du trou n'enlevait rien au soubresaut d'excitation qui m'habitait malgré le trop-plein d'émotions et l'usure qu'engendre trop de stupéfaction. Au contraire : le jeu continuait et ce jeu avait été pensé pour moi, sur mesure.

J'ai descendu l'échelle qui menait au premier étage de l'immeuble, en apparence inhabité. L'étage semblait abandonné, sombre, mal éclairé, l'endroit baignait dans une lumière pâlotte, vert malade, ça sentait la poussière, le moisi, l'odeur pugnace de la vieillesse laissée à elle-même.

Devant moi, un couloir fichu d'une dizaine de portes, cinq d'un côté et cinq de l'autre. J'ai décidé de les ouvrir une par une.

Derrière la première, rien, qu'une grande pièce vide.

Derrière la deuxième, toujours rien, qu'une pièce remplie de cartons empilés.

Derrière la troisième, rien de rien. J'ai perdu patience : la quatrième porte a été enfoncée d'un coup de pied violent suivi d'un cri lâché sans retenue, sorti de ma bouche comme un boulet de canon, un cri intense, enragé, tenu longuement avec un crescendo vers la fin. Dans la pièce, il n'y avait toujours rien. Le conseil « pas de crises d'enfant gâtée » de mon oncle Léon m'a tout de suite rappelée à l'ordre : il ne fallait pas me montrer impatiente, l'endurance silencieuse était requise. Une chose que j'ai apprise ce jour-là : c'est toujours dans les moments d'accalmie que les événements finissent par aboutir, par montrer leur logique, c'est toujours à tête reposée que la solution finit par s'imposer. Tous les films le démontrent. Toutes les histoires le prouvent. Dans le creux d'un nouveau découragement, donc, j'ai entendu un petit chien japper, jappements énervants de bestioles canines à écrabouiller du pied à chaque occasion et même quand l'occasion ne se présente pas. Un chien jappait quelque part et indiquait par son jappement la porte à ouvrir. J'avais vu juste : il se trouvait derrière la dernière porte, la bonne.

Je l'ai ouverte. La première chose que j'ai vue, c'est le chien en question, un minuscule caniche blanc frisé qui s'est rué sur moi, hystérique, sautant, pathétique, sur mes jambes comme pour les attaquer, les stopper dans leur quête, ridicule créature incapable de se voir telle qu'elle est, jamais de taille pour se battre mais se battant toujours, montrant vainement des crocs inutiles de petit chien de garde qui ne peut rien garder, rien repousser, que créer l'envie du coup de pied assené.

Les chiens, surtout les caniches et les chihuahuas, qui fatiguent, qui harassent, qui bavent et qui empestent la bave, je les ai toujours détestés. Une haine invariable, inconditionnelle et assumée. J'adore les chats, nobles et non serviles, autonomes, affectueux à leurs heures. Les chiens se laisseraient mourir pour leur maître, ils se laisseraient crever de faim dans l'abandon, et c'est pour cette raison qu'ils ne méritent pas de vivre. Leurs besoins excèdent ce qu'il est possible de donner. Comme mes besoins à moi, grandioses, intenables. Sans doute ai-je été un chien, dans une vie antérieure.

La deuxième chose que j'ai vue, c'est un portrait géant accroché au mur qui me faisait face, encadré d'une bordure large et dorée ornée de fioritures comme dans les musées. Un tableau immense, pesant, envahissant, éclairé par quatre lampes fixées à ses quatre coins, et dont la lumière était orientée vers son centre, se jetait sur son sujet.

Je n'avais jamais vu le visage de l'homme qui y était peint dans un style qui me semblait baroque, enfin dans ces eaux-là, des eaux lointaines d'une époque révolue condamnée à une restauration perpétuelle, mais je savais à qui il appartenait : à monsieur Paradis.

Monsieur Paradis trônait en peinture sur le mur d'une pièce empoussiérée d'un immeuble mal entretenu du Plateau-Mont-Royal. Monsieur Paradis existait donc, du moins sous cette forme, celle de sa représentation artistique, celle d'une présence à la fois écrasante et morte. Il avait dans la soixantaine, les yeux bleus acier, les cheveux poivre et sel, la peau lisse et uniforme, sans barbe, un complet gris foncé d'une grande sobriété : un homme d'affaires ordinaire et indigne d'être surdimensionné en portrait baroque, de se montrer à si grande échelle sur un mur.

Ordinaire à l'exception de son regard qui figeait sur place. C'était au-delà de l'intimidation. C'était à la fois un hommage et une punition que de l'avoir sur soi. À eux seuls, ces yeux-là pouvaient gouverner le monde, le mener par le bout du nez, décider du sort des peuples, commencer ou arrêter des guerres. J'ai eu une pensée pour son fils suicidé, celui pour lequel il avait fondé la compagnie, et j'ai eu la certitude que ces yeux-là avaient quelque chose à voir avec sa mort. Avec le désir de mourir du fils, son désir de fuir, de partir sans retour, *one way*, pour ne plus y être exposé, pour échapper à jamais à sa puissance de Gorgone. Pour se dérober à leur effet d'annihilation et oublier pour toujours cette sensation de perforation qu'ils produisaient.

Je n'arrivais pas à me défaire de leur emprise d'acier. Peut-être y ai-je reconnu le reflet de ma mère, son omniprésence. En transe, hors du temps, je sentais que j'étais sur le point de défaillir, de faim, de fatigue, que j'allais tomber sous les yeux bleus pétrificateurs, quand une voix s'est levée :

« Antoinette Beauchamp ? »

C'était une voix de femme. Je me suis retournée vers elle et je les ai vus. Le comité de sélection était là, à ma gauche, derrière une longue table sur laquelle traînaient des papiers, des dossiers sans doute, fait bizarre à une époque où tout est numérisé, informatisé, où l'utilisation du papier est, dans certains cas, un acte criminel.

Ils étaient treize à siéger. Une dernière cène bureaucratique. Sept hommes, six femmes, cordés en alternance : un homme, une femme, un homme, une femme... ainsi de suite, jusqu'au bout. Hommes comme femmes étaient habillés de manière identique : complet gris foncé, le même que revêtait monsieur Paradis sur son portrait, chemise blanche, chaussettes blanches, souliers noirs à talons plats. Sans cravate. Cheveux courts et peignés vers l'arrière. Ce n'était pas un hasard. Plutôt une manière d'annuler le genre. Une façon de marteler par paires de sexes opposés que le sexe ne compte pas devant la mort accordée. De l'étaler dans une suite logique qui mathématise la différence. D'organiser un motif recto verso où la différence s'annule au profit de la fonction occupée.

Au milieu de la pièce se trouvait une chaise. La mienne, que j'ai décidé. À qui d'autre ? Une chaise bancale, basse, assortie au décor : assurément inconfortable. Je m'y suis assise, docile, et le geste de mon corps se repliant sur lui-même, se posant lourdement, sans précaution, manquant de renverser la chaise, a provoqué un redoublement de jappements du caniche. Je ne le regardais pas mais je savais qu'il tentait encore de m'attaquer, qu'il me prenait pour une voleuse, que mes jambes étaient pour lui une source infinie de contrariétés. Il tournait en rond, il tournait sur lui-même, il tournait aussi autour de moi et ses jappements aigus dévaluaient toute la scène, ridiculisaient le projet en son entier, sabotaient la crédibilité du mur de décideurs qui me faisait face.

L'éclairage partiel qui plongeait sur leurs têtes de très haut m'empêchait de voir leurs yeux, et donc leurs regards : je voyais seulement le bas de leur visage. Que des bouches, que leur sexe dans l'ombre de la barbe rasée ou le glacis de la peau imberbe, la largeur des épaules, la grandeur des pieds. Ils étaient tous pareils. Seule la voix aurait pu les différencier, trancher net, mais ils ne parlaient pas. Ils gardaient un silence traversé d'un jappement en continu de caniche qui, maintenant, courait partout dans la pièce, allait dans un coin renifler quelque chose, sortait la langue, grognait, repartait en sens inverse, au gré de ses impulsions, se frappait à une patte de la table, chargeait vers moi, sautillait sur mes jambes, voulait y grimper, jappait de plus belle.

Ce n'était pas tout. Pas tout à fait tout. J'ai remarqué, dans un coin de la pièce, cachée dans l'ombre, une longue patère sur laquelle étaient accrochés des chapeaux melon. Ç'a été la goutte d'eau. Pas des casquettes, ou des tuques, ou encore des Borsalino, chapeaux de mafieux qui auraient pu être de circonstance, non, des chapeaux melon. Pareils à celui de l'homme sur le toit. Pourquoi pas, tant qu'à y être, des sombrero ? Je ne les ai pas comptés, mais je savais qu'il y en avait treize.

Je n'avais plus faim, je n'étais même plus fatiguée. Toutes les questions qu'il me démangeait de poser me paraissaient, devant cette mise en scène, risibles. Je refusais d'aller plus loin dans l'observation des éléments burlesques et confondants. Je n'étais plus rien.

Monsieur Paradis aurait pu se trouver devant moi, parmi eux, que je n'aurais pas pu l'identifier. Ils me voyaient et ils se cachaient. Ce n'était pas juste.

Les jappements n'en finissaient plus, ils achevaient de pomper mon dernier souffle, de laper ma dernière goutte. Où les caniches tiraient-ils leur énergie ? Quelle était la signification de la présence de ce caniche-ci en ce lieu ? Autant de questions vaines qui continuaient à s'imposer à mon esprit pesant de vide. La torpeur m'emportait, me tenait hors du coup, mes yeux ne voulaient plus rester ouverts et mon corps me rattrapait, me faisait comprendre qui, de lui ou de moi, était le plus fort. Je ne sais pas combien de temps je suis restée assise en silence, luttant contre le sommeil, en face du comité camouflé et muet. Peut-être une demi-heure.

Un moment, du fond de je ne sais quel coin de la pièce, une question a résonné :

« Voulez-vous mourir ? »

C'était une voix d'homme. Et moi, je n'attendais que ça. Je n'attendais qu'un signe, qu'un *cue,* qu'un coup de feu de départ. D'un bond je me suis levée et j'ai hurlé de toutes mes forces comme si, toute ma vie, j'avais attendu ce moment précis pour éclater :

«Oui! Oui! Oui! Je veux mourir!»

Aussitôt le «oui» trois fois prononcé, je me suis rassise. Un bloc de ciment dans la mer, *paf*, corps mort et lourd happé par le fond. Plus hystérique que jamais, piqué au vif par mon agressivité soudaine, le caniche survolté sautait partout, produisait des jappements insensés et si aigus que, si j'avais été en meilleure forme, je l'aurais tué sur-le-champ.

Puis, il y a eu un brouhaha du comité ramassant ses papiers, se levant comme un seul homme pour se saisir des chapeaux melon sur la patère, sortant ensuite à la file indienne, sans un mot d'adieu, sans une seule remarque, sans un regard pour moi. J'étais bouche bée. On me laissait seule dans la pièce dominée par le portrait de monsieur Paradis. La convocation était finie. La convocation, c'était de me faire suer toute la journée et de me faire hurler, en me regardant me noyer, que je voulais mourir.

C'est tout de même avec soulagement que j'ai constaté que le chien suivait le comité dans le couloir où ses jappements étaient encore audibles, mais de moins en moins à mesure que la procession s'éloignait. Je suis sortie moi aussi.

Dehors, le chauffeur m'attendait. Durant le court trajet qui menait chez moi, donc sur une distance de quelques pâtés de maisons, je me suis endormie. J'ai peut-être été gazée et traînée hors de la ville. Mais je crois que je me suis endormie. Quand je me suis réveillée, sur la banquette arrière de la voiture où mon sac à main était resté, j'ai pu lire sur l'écran encastré dans le siège du chauffeur :

Veuillez attendre votre prochaine convocation. Merci d'avoir fait appel aux services de Paradis, clef en main.

La notice s'est effacée avant lenteur, elle a pâli pour laisser place à l'apparition, elle aussi graduelle, du bouton rouge, le logo, qui débordait de l'écran, le crevait, s'imposant en trois dimensions. Comme un vrai.

J'ai regardé ma montre : il était 00 h 25.

* * *

Dehors, il fait toujours aussi chaud. Je n'ai pas envie de tout casser, les grands éclats des derniers jours m'ont rassasiée. Faire un peu d'ordre, même incomplet, même imparfait, dans ce qui s'est passé, me fait du bien. J'ai tout dit ce que j'avais à dire pour aujourd'hui, ma ration quotidienne de mots a été écrite au plafond et enregistrée.

J'ai envie d'avoir un chat, encore un autre, de le laisser venir à moi ou s'éloigner pour s'installer à la fenêtre. Après tout, je suis peut-être prête à commencer à aimer.

Quelque chose de vivant.

Demain, ma mère viendra me visiter, comme toujours. Elle me surprendra peut-être avec une bouteille de vodka.

On peut toujours rêver.

* * *

LE PSYCHIATRE

LA DEUXIÈME CONVOCATION a eu lieu la semaine suivante. Aller trop en détail serait inutile : même l'inattendu peut devenir fastidieux, à longue. À force, la surprise peut, elle aussi, tomber à plat, se faire tirer le tapis sous le pied.

Ça vaut quand même le coup d'œil, le chemin vers le psychiatre : Paradis, clef en main s'offre les services d'un médecin du cerveau, d'une pute de la pensée humaine pas orthodoxe ni très catholique, qui n'est pas là pour guérir des patients mais plutôt pour les sonder et obtenir, mine de rien — j'imagine pour une raison de bonne conscience de la compagnie, pour qu'elle puisse dormir sur ses deux oreilles et fermer l'œil la nuit —, la certitude que, du mal de vivre, ils n'en guériront jamais. Et encore, je n'en suis pas sûre. Les psychiatres ne sont pas à l'abri du désespoir, ni de la folie. Surtout pas celui de la compagnie.

Une semaine d'attente, donc, où je n'ai rien laissé paraître de l'extérieur même sous la pression de grands remous intérieurs, une semaine passée chez ma mère alors que j'ai toujours préféré rester chez moi, seule dans mon petit appartement de rien du tout, un deux pièces ensoleillé mais caché du dehors par d'épais rideaux verts qui ne laissent traverser qu'une lueur artificielle. Une semaine exposée à son regard soupçonneux, inquisiteur, une semaine enfermée, aussi, en plus, dans la minuscule pièce du fond de la résidence maternelle douillette où j'avais passé mon enfance, où j'avais dormi et grandi, où j'avais rêvé à une vie future de *pop star*, où j'avais aussi concocté mes premiers plans de mort. Une semaine assise dans un fauteuil en cuir à contempler le paysage offert par l'unique fenêtre de ma chambre d'enfant qui donne sur un mur de brique. De grosses briques grises comme celles d'une prison couronnée par une couche de barbelés et un système de surveillance. Un mur qui frappe par sa proximité. Un mur qu'on peut toucher du bras si on s'assoit sur le rebord de l'étroite fenêtre, sans autre utilité que celle de constituer une sortie de secours en cas de feu, à condition que le feu n'ait pas envahi l'enclave entre les bâtiments jumeaux qui sont habités par des gens sans rapport les uns avec les autres, unis à leur insu, malgré eux, dans leur dos, par la main d'un architecte.

Un mur implacable, bien plus solide que n'importe quelle vie humaine, bien moins pulvérisable que la foi de n'importe quel homme ou que l'irrespirable conviction des psychotiques. Un mur comme une armée blindée de fourmis rouges, sans prédateurs, un mur qui impose une opacité nécessaire à l'évasion des pensées à tendance mensongère, à l'organisation ratoureuse. Si j'en parle, c'est avec raison : toute ma vie ressemble à un mur de brique grise, à une vue offerte sur une absence d'ouverture, sur un manque d'horizon. Je n'ai jamais su pourquoi. Personne n'a jamais pu me dire pourquoi.

Léon, mon oncle, m'a souvent dit qu'il existait des gens comme ça, qui n'étaient pas faits pour la vie, pour qui la vie était une erreur. Que Dieu, ou peu importe la Cause de la vie, le Bing Bang ou autres Démarreurs, enfin les Responsables du pire *bad move* de l'histoire de l'univers, celui du choix de l'être et non du néant, faisait naître des hommes non viables, des êtres humains qui auraient mérité de rester dans les limbes. D'aussi loin que je me souvienne, il m'a toujours été interdit d'intégrer le monde à cause de ce mur indépassable derrière lequel il semblait sourire à tous les autres ou, du moins, s'en faire désirer.

Souvent, petite, je m'installais devant la fenêtre pendant des heures, je fixais le mur de brique. Comme tous les enfants, je nourrissais cette idée que, si je me concentrais fort, vraiment très fort, je pourrais le pulvériser, grâce à ma seule volonté, grâce à mes pensées si tenues assez longtemps et répétées inlassablement. Si je pensais fort et longtemps à une explosion, une réelle charge explosive serait enclenchée dans le monde et la matière fléchirait sous le poids de mon désir de pulvérisation. J'imaginais des rayons laser me sortir des yeux, former un point sur le mur, dégager une fumée toxique avant de l'éclater en mille morceaux, des gros pour les fractures du crâne et les poumons perforés, des petits ouvrant des microlésions, mortelles en raison de leur trop grand nombre.

Comme la première fois, la cueillette avec chauffeur s'est effectuée dans le même stationnement, mais pas au même étage. Cette fois-ci, je n'ai pas eu besoin de trouver l'introuvable, de tracer un chiffre avec une bonbonne de peinture en aérosol, de courir en larmes comme une bête éplorée, déçue d'avoir à chercher son traqueur : c'est une voiture sport rouge pompier, basse, remarquable, une décapotable avec des ailerons, probablement la voiture la plus voyante de l'étage et peut-être même de toute la ville, qui est venue directement à moi, sans lésiner, dans un tintamarre de moteur et de crissements de pneus.

L'intérieur était le même : un écran encastré dans le siège avant affichant un bouton rouge, un message me sommant de me taire, un chauffeur inaccessible derrière une vitre opaque.

On m'a préalablement gazée, puis promenée selon je ne sais quelle idée de ce que doit être un brouillage de pistes, dans un bar de danseuses nues réputé, érigé en institution : Chez Parée. À l'intérieur, il avait ce qu'il devait y avoir : des danseuses nues, des clients, et quelques clientes distribuées çà et là, qui, pour la plupart, étaient des putes accompagnatrices de clients sous couvert de vraies femmes cochonnes, ouvertes, consentantes, non rétribuées.

Après m'être glissée entre toutes les tables, en gardant un air détaché, et m'être attardée dans tous les coins noirs pour analyser la nudité de cette masse de corps nus et ondulants, stéréotypes de la sensualité, lascivité d'automates, je me suis assise au bar pour boire. Que faire d'autre ?

Je n'avais pas l'habitude de boire. Boire ne me paraissait pas nécessaire dans la vie et, les rares fois où je buvais, je buvais du vin blanc, du bout des lèvres, par petites gorgées. Jamais je n'avais été ivre. Un peu gaga peut-être, certes pompette, mais sans plus. J'ai donc commandé, à une serveuse partiellement dévêtue, un verre de vin blanc maison, puis un deuxième, puis un troisième, suivi d'un quatrième. Je les descendais de force, en plissant les yeux, comme des *shooters*.

À mesure que montait l'ivresse inductrice d'ouverture au monde, de main tendue à ses semblables et même à ses dissemblables, la mascarade gênante autour de moi prenait un sens de plus en plus précis, et je me suis mise à sourire aux danseuses, aux clients, à déplier mes jambes, à me faire un show à moi-même, à jouer des hanches sans me lever, juste pour les sentir bouger, pour jouer, pour contribuer. Une force vitale me remplissait, me débordait, suintait ses phéromones, effluves de chatonne, comme un trop-plein de cyprine.

L'alcool me révélait les secrets enfouis de l'Univers, ses fondements : depuis toujours, le sens de la vie, son origine, sa force d'attraction, son ultime visée, était logée dans le cul ; il fallait l'accepter, faute de quoi on était écarté de l'essentiel ; ne pas l'accepter m'empêchait d'être heureuse ; peut-être au fond n'avais-je pas besoin de mourir, seulement de m'ouvrir au cul, à l'origine du monde, et de baiser un bon coup.

Au cinquième verre, la notion du cul s'est élargie vers le haut, dans le sens de la noblesse : c'était un bar à amour avant même d'être un bar à cul ; c'était l'amour et rien d'autre qui motivait les hommes et les femmes à se marchander les uns les autres ; les bars de danseuses étaient des lieux de pure générosité, d'humanité, de chaleur et de don de soi, de fusion collective. Les danseuses auxquelles il était impossible d'accoler un âge, comme si elles étaient à la fois toutes très jeunes et plus toutes jeunes, montaient sur scène alors que d'autres en descendaient, elles cédaient leur place à leurs collègues missionnaires, elles se relayaient pour interpréter une danse typée, marquée par l'uniforme moderne du corps bandant, mais aussi immémoriale, venue du fond des cavernes du Neandertal, sous un éclairage tamisé, un *black light* qui les avantageait, lissait leur peau, cachait leurs imperfections, gommait les différences corporelles. Un bar de soldates de l'amour dont l'unique arme était leur corps. Cette arme était un miroir d'amour tendu vers l'amour des hommes, une mise en abyme d'amour renvoyé sur lui-même, autoréférentiel, perpétuel. L'amour avait une essence océanique qui avait repêché le bar pour le sauver de la tristesse.

Dans la foulée de mes réflexions sur l'existence, une danseuse est venue à moi, elle m'a adressé des paroles dont je n'ai gardé aucun souvenir. Elle était ni petite, ni grande, ni maigre, ni pulpeuse. Jamais un corps ne m'avait paru aussi normal, sans caractéristiques. Par contre, elle portait une perruque rose au carré qui découpait un visage fort joli avec des yeux noisette, des yeux rieurs, peut-être scrutateurs.

L'ivresse ne m'était d'aucune utilité devant elle. Tout ce que j'arrivais à faire, c'était de lui renvoyer un sourire niais et figé. Elle m'a assiégée, petite abeille travailleuse infatigable dont le caractère suspect était dilué dans l'alcool, évacué comme chose normale, allant de soi. Que savais-je du vaste monde des danseuses nues ? Rien du tout. Je devais jeter l'éponge, m'avouer vaincue. Je l'ai donc payée pour qu'elle danse sa danse, le corps rivé au mien, froideur et impersonnalité toujours perçues comme de l'amour, machinerie de la séduction interprétée comme une fraternité, une danse pendant laquelle elle m'a saisie la main pour la porter à son string, que je n'avais pas envie de toucher. J'ai retiré ma main, poliment, et elle l'a reprise, elle l'a redirigée vers son string et je l'ai retirée de nouveau ; cette danse de nos mains qui jouaient au chat et à la souris a continué un moment avant que je ne concède, par lassitude, à y toucher. J'ai senti quelque chose sous le tissu, comme un carré de carton ; j'ai donc inséré deux doigts dans son string pour y extirper une carte d'affaire. Sur la carte était écrit, en lettres dorées et élégantes :

*Votre chauffeur vous attend à la porte. Il vous conduira
à une église dans laquelle se tiendra une rencontre avec
votre psychiatre. Veuillez suivre ses instructions à la
lettre.*

    *Merci de faire appel aux services de Paradis, clef en
main.*

Une fois la carte en ma possession, la danseuse est
partie sans demander son reste. Je l'ai suivie du
regard. Au lieu de remonter sur le stage, elle a
disparu derrière une porte qui menait peut-être au
vestiaire, à une loge ou, pourquoi pas, dehors. Je suis
restée assise à boire un verre, puis un autre. Sur le
moment, toujours accrochée au bar, engourdie,
bienheureuse, j'étais persuadée que je restais parce
que je voulais rester, que c'était par autonomie et
indépendance, parce que cette décision de rester
allait leur montrer que, moi aussi, je pouvais les
dérouter, les faire attendre. Avec le recul, je crois que
c'était parce que j'étais trop saoule et que je n'étais
plus en mesure de considérer les conséquences de
mon manque d'obtempération. J'étais souriante et
surtout incapable de me lever. Je me rappelle m'être
dit que ma saoulerie faisait partie de leurs calculs.
Que tout était prévu, mêmes mes caprices, que j'étais
prise dans les filets d'un destin tricoté, su à l'avance,
dans mon dos. Donc : *basta*.

    Je me souviens que, par hasard, j'ai repéré, au
loin, la danseuse abeille vêtue d'un jean et d'un
chemisier blanc qui marchait d'un pas pressé vers la
sortie du bar sans m'accorder un regard, un grand

sac brun de magasinage à la main ; elle marchait vers la sortie avec l'assurance qu'aurait n'importe quelle femme normale rentrant chez elle après avoir fait les boutiques. Je jetais des regards sur la carte d'affaire qu'elle m'avait poussé à pêcher dans son string sans plus pouvoir y lire quoi que ce soit, sans plus pouvoir me lever.

Le bar au complet a amorcé sa lente rotation autour de moi, comme un mal de mer naissant qu'aurait le monde entier, quand j'ai vu, ou plutôt revu, devant moi, sur le stage, courant entre les jambes d'une paire de danseuses décuplées par la vision pataude et biscornue de l'ivresse, le caniche blanc de la première convocation. Je n'en croyais pas mes yeux. J'étais sur le cul, encore une fois. Le petit chien merdique et emmerdeur réapparaissait, le fil conducteur des lieux épars et étranges où ma vie était mise à prix, le plus grand et plus présent des représentants de Paradis, clef en main, se manifestait Chez Parée. Il me livrait une performance.

J'aimerais pouvoir vous dire que la musique, au moins, parvenait à couvrir ses jappements hysté-riques à se jeter par les fenêtres de tous les gratte-ciels du monde. Eh bien, non : la stridence de son jappe-ment traversait l'épaisseur musicale et le caniche continuait de gambader sur le stage sans attirer l'attention des danseuses qui, pourtant, étaient gênées dans leur danse : elles l'évitaient avec pré-caution sans paraître étonnées, sans s'arrêter, ni les clients d'ailleurs qui regardaient partout, qui regar-daient tout le monde, sauf le chien. Un chien blanc dont la blancheur éclatait dans le *black light*, tranchait sur tout le reste, se rendait encore plus présent que la composition des strings et des talons hauts des danseuses par son frénétisme. Le chien le plus visible au monde était aussi le chien le plus ignoré. Ça voulait dire que le bar était complice. Ils étaient tous, clients comme danseuses, avec Paradis, clef en main.

Cette constatation m'a dessaoulée d'un coup. Le caniche faisait maintenant des tours complets du stage en jappant à en perdre haleine, enragé, maître des lieux, pour enfin s'arrêter devant moi. Ses yeux se sont plantés dans les miens, ses jappements ont redoublé, il s'est mis à faire des bonds d'une hauteur impressionnante, comme s'il m'invitait à le prendre dans mes bras. Ou à l'étrangler.

De le voir sautiller à mon intention a renversé les notions d'amour et de fusion en sentiment de persécution. Je ne le méprisais plus, car il me dominait. Il ne m'énervait plus, il me faisait peur. J'étais effrayée. On l'avait jeté là pour me rappeler à l'ordre, c'était sûr. Je ne pouvais pas rester dans le bar, je devais continuer ma route, aller dans cette église, me faire examiner, être menée en bateau. Le chien était un message, un avertissement : je devais décamper.

Quand je me suis enfin extirpée du tabouret de bar, me levant de tout mon long sur des jambes engourdies, le caniche a sauté du stage pour filer vers la porte. Je l'ai suivi, c'est ce que je devais faire. En chemin vers la sortie, d'où j'allais être conduite à l'église, j'ai cru remarquer, là, assis à une table du fond, jouant aux cartes avec des jetons, sans doute au poker, trois hommes en complets gris et chapeaux melons. Mais c'était peut-être l'alcool. C'était peut-être de l'affabulation. C'est peut-être, qui sait, l'un de ces faux souvenirs rafistolés avec des images vues en rêve ou à la télévision, des images fantasmées et recomposées pour combler les vides de la mémoire ou camoufler d'autres images plus insoutenables encore, des résidus d'impressions, des inventions de l'esprit qui en disent long sur le peu d'importance des faits dans le cœur des hommes.

Une fois dehors, j'ai vu la voiture sport réapparaître et s'avancer à ma hauteur. À l'intérieur m'attendaient une bouteille contenant un demi-litre de vodka, du jus d'orange et des glaçons disposés sur une tablette munie de trous permettant aux objets de tenir en place malgré les cahots de la route. Sur l'écran, l'habituel bouton rouge, criard, racoleur, joker à double face de délateur satisfait, le logo cynique de la compagnie, cruel dans sa simplicité d'enfant.

Jamais de ma vie je n'avais bu de vodka. Ce ne serait pas la dernière fois non plus. Oh que non. Pourquoi voulait-on me faire boire ? Pourquoi de la vodka ? Je ne l'ai jamais su. Les façons de faire de la compagnie échappaient à toute compréhension. C'était sans doute un caprice et les caprices ne se justifient pas : ils ne font qu'imposer leur nature arbitraire et ne visent qu'à exaspérer ceux qui doivent les satisfaire.

La première gorgée m'a fait grimacer. C'était inattendu et désagréable ; la surprise de la brûlure provoquée par le goût intense de l'alcool fort a bien failli me faire vomir. La deuxième gorgée m'a au contraire réchauffée, bercée, caressée : j'étais déjà habituée. À la troisième gorgée, la vodka est passée comme dans du beurre, comme si j'en avais bu toute ma vie, et cette gorgée-là, décisive, exigeait déjà la quatrième, elle contenait en elle-même la suite de toutes les gorgées assimilables par un organisme : j'étais déjà alcoolique. Tandis que je savourais cette nouvelle boisson forte mêlée au jus d'orange, je n'ai rien vu du chemin emprunté pour aller à l'église.

Il était deux heures du matin quand j'y suis arrivée, surexcitée et ivre ; j'étais devenue un pantin aux longues jambes flageolantes à la rencontre d'un spécialiste de la misère humaine.

Les deux grandes portes de l'église n'étaient pas verrouillées, mais je me foutais de tout. Se poser des questions ne pouvait que me ralentir, me saouler davantage, m'épuiser en pure perte. J'ai d'abord cherché en refoulant des fous rires une présence humaine dans la pénombre qui régnait à l'intérieur de l'église, mais il semblait n'y avoir personne. Ça ne m'aurait pas étonnée de trouver sur mon chemin une porte orpheline, au milieu de nulle part, mais derrière laquelle un monde parallèle de poussière étendrait son labyrinthe de couloirs ; j'étais persuadée de tomber, encore une fois, sur le caniche dévalant l'escalier qui menait au jubé pour m'attaquer, pour japper comme un damné, pour tenter de me mordre, pour semer un désordre sonore dans le silence de l'église, pour courir au hasard sous les grands bancs en bois inconfortables, faits pour la contrition.

De prime abord, rien à signaler. Partout, la normalité des églises abandonnées se donnait à voir, avec son lot de clairs-obscurs et de désertion, sa hauteur obsolète laissée à elle-même, ses fioritures et ses vitraux, ses représentations comiques de la divinité, sa conception naïve d'un autre monde où les anges sont des hommes qui volent dans le ciel avec des pénis d'enfant.

Comme la surface à étudier était trop importante et trop peu éclairée, la passivité m'est apparue comme la meilleure solution : je me suis donc assise sur un banc pour fermer les yeux, le temps de retrouver un équilibre, de me recentrer sur ma mission, de rassembler mes esprits brumeux, le temps de laisser à l'endroit la chance de me montrer ce que je devais voir. J'ai bien fait.

Quand j'ai rouvert les yeux, l'évidence m'est apparue : à ma gauche, devant moi, tout au fond, au lieu du Christ en croix, éclairée à sa base par une multitude de lampions multicolores, se trouvait l'imposante peinture de monsieur Paradis. C'était le même portrait que j'avais vu lors de ma première convocation.

Même grandeur, même cadre, même homme. Sauf que le portrait, dans ce lieu, sous cet éclairage, était fort différent, étranger à l'autre. Aucune comparaison n'était possible, tout en étant identique. Je le redécouvrais comme on redécouvre une personne perdue de vue sur laquelle on s'était trompée, les

émotions qu'il m'inspirait s'en trouvaient transfor-
mées elles aussi.

La première fois que je l'avais vu, monsieur Paradis
avait cette dureté du dirigeant menant ses troupes
avec une main de fer, cette assurance du conquérant
qui jamais ne se laisse désobéir, il imposait tout de
suite une distance tout en s'introduisant sans
permission dans l'intimité de ses observateurs. Le
regarder, c'était se brutaliser soi-même. Dans l'église,
c'était l'inverse : il avait l'air d'un homme désemparé.
Toujours solide, certes, mais atteint. Atteignable et
sans honte de le laisser paraître. Toujours fier, toujours
chef de file, mais habité par une tourmente. Ses yeux
bleu acier constituaient l'élément central du portrait,
ils étaient toujours remarquablement charismatiques,
mais ils étaient plus brillants, comme humides,
comme au bord des larmes, et la charge de menace, la
puissance de fustigation, avaient laissé place à une
immense déception, une tristesse irréparable. Ses
yeux n'étaient plus deux sondes fouillant l'âme des
autres, ils n'étaient plus une arme ou un bouclier
brandi devant ses interlocuteurs : ils me fixaient, mais
ils regardaient ailleurs, peut-être en eux-mêmes,
tournés vers des pensées coupables. Ses yeux ne
repoussaient plus, ils n'invitaient pas non plus, ils
constataient quelque désastre caché mais devinable.
Le mélange des couleurs qui donnait vie à ses yeux
n'était plus figé, mais animé d'un mouvement fragile,
subtil, d'un frétillement créé sans doute par le jeu des
lampions allumés, petites valseuses de lueur faisant
danser les objets qu'elles éclairaient.

Autour du visage, le reste du corps apparaissait beaucoup plus sombre ; on ne voyait plus son costume d'homme d'affaires, il n'y avait plus de teintes de gris ni de limites, et tout ce qui n'était pas ses yeux dans son visage était aspiré par l'église, disparaissait dans un gouffre de noirceur, fuyait dans les coins eux-mêmes absorbés par l'obscurité, se confondait avec l'environnement, raison pour laquelle je ne l'avais pas remarqué jusque-là.

Monsieur Paradis, dans cette église, était à sa place et c'en était d'autant plus troublant. Il avait le regard infiniment triste de Dieu sur sa création, sur la masse épouvantable de souffrance qu'il a du même coup libérée dans l'univers.

Ce n'était pas drôle. Je tentais de retrouver la légèreté de Chez Parée, sa promesse d'amour, sa gaieté, mais la dictature du portrait imposait considération et respect, il accaparait l'espace, il le remplissait de lui-même, il me ramenait à ma réalité de suicidaire en quête d'une mort prochaine.

J'étais absorbée par ce regard-là, encore une fois engouffrée, mais j'avais conscience de devoir me soustraire à l'attraction qu'il exerçait, à l'écrasement de son magnétisme. C'est avec beaucoup d'efforts que je suis parvenue à détourner les yeux vers l'autre extrémité de l'église où j'ai remarqué, tout au fond, à droite, une statue de la Vierge avec un bras levé au bout duquel un doigt était pointé dans la direction d'un confessionnal. Cette posture était louche pour une statue. La Vierge avait-elle l'habitude, dans les églises, de pointer le doigt dans une direction précise ? Je ne le savais pas. Je ne le sais toujours pas.

À mon avis, la femme, en représentation ou non, en chair ou en plâtre, et même s'il s'agit d'une sainte et que cette sainte-là est la mère de Dieu, n'a pas encore, dans les organisations cléricales actuelles, le pouvoir politique pour diriger les troupeaux de brebis égarées. J'ai quand même obéi à son geste, je me suis dirigée vers le confessionnal, j'en ai ouvert la porte, je m'y suis assise : de l'autre côté du mur était en effet tapi un homme dont la présence n'était perceptible qu'à sa respiration lente et profonde. Il était invisible, il ne parlait pas, il ne bougeait pas ; j'ai attendu en vain qu'il remarque ma présence, puis j'ai tenté d'attirer son attention, d'abord par de petits coups donnés sur le mur qui nous séparait, ensuite par un raclement de gorge appuyé et répété. Pour toute réponse, j'ai eu droit à un ronflement venant du très profond de ses poumons. Il ronflait, donc il dormait. Un homme dormait dans un confessionnal, et cet homme était mon psychiatre. Peut-être m'avait-il attendue, attendue, puis il avait abandonné l'attente et embrassé le sommeil, le seul passe-temps permis dans sa position. Il fallait donc contribuer, encore, poser un geste, prendre la parole. Sans doute à cause du silence et de l'effet d'écho propre aux églises vides, ma voix, trop hardie, trop pimpante, a tonné avec une force inattendue :

« Si c'est encore ça que vous voulez savoir, oui, je veux mourir, et je tiens à dire pour ma défense que... »

Un cri de surprise de l'homme congédié de son sommeil sans préavis m'a empêchée de poursuivre. Je me suis tue, j'ai fermé les yeux, et des grognements de contrariété, venus de l'autre côté, suivis d'un mouvement du corps qui se redresse, se rassoit, revient sur terre, sur le plancher des vaches, sacrées ou non, m'ont eux aussi contrariée.

« Silence ! Taisez-vous donc ! Ne voyez-vous pas que je suis en consultation ? !

— Je ne comprends rien, monsieur, je...

— Surtout ne dites rien. Ne parlez plus. Silence ! Quel beau rêve je faisais à l'instant... J'étais en train de rêver que je frappais ma mère avec un poisson énorme, sur la tête, à répétition ; je la frappais avec un mérou rouge encore vivant avec des dents pointues qui la mordaient. Je la frappais encore et encore, de plus en plus fort, de plus en plus vite. Elle allait mourir quand vous m'avez interrompu. Quel gâchis !

— Mais, c'est que, je suis Antoinette Beauchamp et...

— Je sais très bien qui vous êtes, et vous sentez l'alcool. Ce ne sont pas des conditions de travail, ça. »

Geste instinctif de ma main pour me couvrir la bouche, pour empêcher les odeurs traîtresses d'en sortir. La honte m'a ramenée à une autre honte connue il y longtemps, vite enterrée par l'arrogance de l'adolescence : je me faisais gronder par un étranger et je me sentais fautive, décevante.

« J'ai bu, oui, mais on m'a aussi fait boire.

— C'est ça, c'est ça. Ça suffit. Assez parlé de vous. »

Le mot d'ordre était donné. Il ne servait à rien de me défendre ; encore la passivité, encore me laisser triturer, en gestes et en paroles.

Au moins, c'était clair, statué sans ambiguïté. Ses instructions devaient être suivies à la lettre. Mais étaient-ce là des instructions ? De l'autre côté du mur m'est parvenu un épais bâillement et ce qui m'a semblé être le mouvement de l'étirement. J'étais sans voix, j'attendais qu'il parle :

« J'ai passé une journée épouvantable, vous n'avez pas idée. C'est ma femme, le problème. Je ne dis pas que je suis tout blanc, irréprochable, au contraire, mais elle, elle est bien pire que moi. Je le jure ! Une manipulatrice qui se fait passer pour une personne au cœur sur la main se préoccupant des autres. Foutaise ! Elle fait tout pour me rendre fou, elle utilise ma fille, elle l'éloigne de moi par des manipulations psychologiques perverses. Ma propre fille qui forme aujourd'hui équipe avec sa mère, cette vicieuse, et ma fille de se liguer, elle aussi, contre moi. Aujourd'hui, je suis allé la voir, j'ai fait un détour exprès pour la voir — elle étudie les sciences politiques à Concordia —, elle est brillante, ma fille, promise à un bel avenir, trrrès remarquée par ses professeurs. Elle habite tout près de son université ; je suis passé la voir comme un bon père affectueux, attentif, préoccupé d'elle, et elle ne m'a même pas adressé la parole. À peine un bonjour. Pas de sourire non plus, seulement une grimace de mépris. Elle m'a regardé avec des yeux méfiants, pleins de reproches. Ma fille me déteste, et je ne sais même pas pourquoi.

Ma femme m'a volé ma fille en la dressant contre moi, elle lui a raconté des faussetés sur moi, elle a semé le doute dans l'esprit de ma fille, que je l'aurais abusée, violée, et pire encore ; elle m'a enlevé ce que j'avais de plus précieux. Je suis à bout de nerfs, vraiment, je fais de l'insomnie, je ne dors pas la nuit et je dors quand ce n'est pas le temps... Je... je... il faut que je... »

Bruit de flacon dont on retire le couvercle, cliquetis de pilules s'entrechoquant dont plusieurs qui roulent par terre, déglutition de pilules qu'on fait passer avec une rasade l'eau.

« Toute cette pharmacopée, cette fausse panacée, ce charlatanisme de la dépendance. Une vraie pitié. Je devrais pourtant savoir que ça ne fonctionne pas. Des pilules ! Mais j'en ai besoin, des calmants, des stimulants, des pour bander, des pour me concentrer, des pour me désennuyer. Mon corps ne marche plus sans ça, mon corps voudrait juste se laisser aller à... Oh mon Dieu ! »

Le psychiatre s'est étouffé, il a toussé, puis il a commencé à pleurer. On ne s'habitue jamais au fait de ne pas comprendre ce qui se passe. L'esprit cherche toujours une raison, une explication, c'est un réflexe organique comme un genou frappé par un marteau de médecin, c'est la jambe qui se soulève malgré soi, en dépit de la volonté. Et mon explication à cette complainte qui m'ahurissait, à ce moment-là, dans le confessionnal, était que cet homme n'était pas mon psychiatre, mais qu'il me prenait, moi, pour le sien. Il me fallait intervenir :

« Êtes-vous mon psychiatre ?

— Hélas ! Je le suis. Comme je suis à plaindre ! Tous ces gens qui me racontent leurs petits malheurs ! Leurs petites vies d'âmes en peine ! Comme si j'en avais quelque chose à foutre ! Et moi, qui m'écoute ? Personne, je vous dis, personne ! »

Montée graduelle de sanglots d'abord étouffés, puis libérés, bruyants, déplaisants. Sortie de plusieurs mouchoirs d'une boîte, mouchage dans les mouchoirs. L'homme assis de l'autre côté était mon psychiatre. Mon psychiatre pleurait sur son sort, il me parlait de sa femme, de sa fille, de sa vie, de ses médicaments, il se mouchait de manière éhontée et il osait me reprocher ma mauvaise haleine. Il me coupait la parole. Il me sommait de me taire. Ça ne ressemblait en rien à une prise en charge, et ça me consternait au plus haut point.

J'ai souvent été découragée dans cette aventure, mais jamais je n'avais eu à ce point envie d'abandonner. De laisser tomber ma mort arrangée. Je ne désirais plus que de me refaire une vie ailleurs, continuer à exister malgré mon dégoût de l'existence, ou encore me tuer par mes propres moyens. On n'est jamais mieux servi que par soi-même. Ma main était déjà appuyée contre la porte du confessionnal et je commençais à l'ouvrir quand le souvenir de mon oncle grâce auquel j'avais eu accès à la compagnie m'a encore une fois rappelée à l'ordre.

Il fallait souffrir pour mourir.

Il fallait souffrir pour cesser de souffrir à jamais.

C'était le prix à payer pour une libération à perpétuité. Je suis donc restée pour jouer le jeu même si rien de tout ça ne relevait de la comédie. Le plus aberrant, c'est que l'absurdité du confesseur-psychiatre qui tombe en morceaux devant une patiente dont il ne veut rien savoir n'enlevait rien au fait que sa détresse n'était pas feinte : je n'aurais pu en jurer, mais il ne semblait pas jouer un rôle, il semblait au contraire sincère dans sa misère de vivre. J'ai repris la parole, dans son sens à lui :

« Je peux vous écouter, moi. Je peux vous comprendre. »

Le silence qui a suivi a duré un certain temps, si bien que j'ai cru qu'encore une fois j'avais donné un coup d'épée dans l'eau. Mais il a répondu :

« C'est vrai ?

— Oui. Je sais ce que c'est que de souffrir. Je vous écoute.

— Ouf… quel soulagement ! Quelqu'un m'écoute. Quelqu'un veut bien m'écouter. Comme ça fait du bien. J'aurais préféré que ce quelqu'un soit quelqu'un d'autre que vous, mais quand même. »

Cette remarque, même calculée, même si elle n'était qu'une façon de me taquiner, m'a vexée, mais je venais de mettre la main sur une autre clef et je m'en félicitais. Je m'attendais à une suite de confidences, au récit d'une vie d'humiliations où il passait pour violeur de filles aux dires de la mère, incestueux dans la bouche de sa femme, mais au lieu d'enfin parler, de vider son sac plein de paroles retenues cuisinant leur cancer à petit feu, l'homme est sorti du confessionnal et a ouvert en grand, d'un geste sec, la porte de ma cabine. Il était devant moi, et il me souriait :

« Quand on sait que quelqu'un écoute, parler perd toute utilité. Au fond, personne ne veut être entendu. La disposition des autres à tendre l'oreille mène la plupart du temps à la constatation qu'on n'a pas grand-chose à dire. C'est ainsi. »

J'avais devant moi un homme qui ne dépassait pas les cinq pieds. C'est l'homme le plus petit que j'aie eu l'occasion de voir dans ma vie : il était trapu, épais, aussi large que haut, d'un âge incertain, aux cheveux blancs à la manière d'Albert Einstein, des cheveux qui se moquent de leur apparence, qui ont d'autres chats à fouetter que d'être peignés, coiffés, que de retrouver leur couleur d'origine avec du Dragonax ; il portait une chemise rouge avec un large jabot froufroutant sur sa poitrine large et bombée.

Rien en lui n'était conforme à la normale, mais l'accessoire le plus étrange qu'il exhibait était des lunettes rondes d'une épaisseur de plusieurs centimètres, des fonds de bouteille qui grossissaient ses yeux, lesquels emplissaient, à ras bords, les verres où ils se tenaient à la limite du débordement, comme deux bulles de savons soufflées dans des cerceaux de plastique. Des lunettes de l'ancien temps que j'avais déjà vues en image mais dont j'ignorais qu'on puisse encore s'en procurer.

Qu'il était laid ! Mais sa laideur était une particularité, elle servait à le détacher des autres, de l'uniformité esthétique si tentante pour la surpopulation malade de se savoir corruptible, sans préservatifs sûrs, condamnée à l'instabilité de sa forme ; et il souriait, il semblait avoir oublié sa femme, sa fille. Sans doute un effet des pilules.

Voyant que je restais assise, docile, exténuée, les yeux petits luttant pour rester ouverts, il s'est repris :

« Allez, sortez de là. On étouffe là-dedans. »

Je me suis extirpée de la cabine avec difficulté, toujours imbibée mais sans légèreté, sans bonne humeur, aux prises avec cette pesanteur d'être, due au mélange d'alcool et de fatigue qui me faisait perdre pied dans la coordination de mes mouvements.

Une fois sortie, une fois dépliée de tout mon long, j'ai eu l'impression que ma grandeur insolente devant sa petitesse bien au-dessous de la moyenne le prenait de court : il s'est reculé, il m'a observée avec méfiance, comme si de me découvrir si grande changeait tout de notre rapport sans réciprocité, de sa vision de moi, de son rôle à lui, du monde, des choses en général. Sans plus parler, mais toujours en me fixant de son œil démesuré roulant sur la monture de ses lunettes, il a désigné d'un doigt le portrait de monsieur Paradis, dont les yeux dansaient toujours comme des diamants pris dans la lueur d'une chandelle, prêts à expulser leur fardeau de larmes, leur trop-plein de peine.

« Oui, oui, c'est bien monsieur Paradis. Vous avez vu juste. C'est un grand homme. »

Encore une fois, ses paroles venaient se plaquer sur son propre manque de grandeur, pour le mettre en relief, pour le rapetisser encore un peu plus ; mais il ne semblait plus s'en soucier, il avait joint ses deux mains aux doigts boudinés derrière son dos, le regard fixé sur le portrait dans une attitude de respect et de recueillement.

« Avant de vous parler de lui, de son œuvre, observons d'abord une minute de silence à la mémoire de son fils suicidé. »

C'était le comble : on devait observer un temps de silence pour le fils de l'homme peint en portrait. Ensuite, il allait me parler de cet homme, omniprésent, mais seulement en peinture. Je n'étais qu'une simple spectatrice dans ce qu'on osait appeler la prise en charge, et j'avais envie de crier, de le frapper, ou encore de le supplier :

« Excusez-moi, je sais que je devrais fermer ma gueule jusqu'à ce que mort s'ensuive, mais est-ce que vous allez vous pencher sur mon cas, oui ou merde ? »

Le regard qu'il m'a alors jeté était un regard désapprobateur, souligné à gros traits par sa propre infatuation : ses deux yeux comme le sourire denté du chat du Cheshire au pays des merveilles étaient suspendus dans la pénombre, sans corps, indépendants, autonomes, inévitables. C'était peut-être mon intervention qu'il désapprouvait, ou encore le « vous pencher sur mon cas » qui lui remettait une fois sous le nez le fait qu'il n'avait pas les moyens physiques de se pencher sur grand monde, peu importe leur cas, et surtout pas sur une femme de ma taille.

Ses yeux à la hauteur de mes seins, inexistants, mais seins quand même, ne savaient plus où se poser, ni sur quel pied danser. Ils ont alors rebondi sur le portrait de monsieur Paradis, qui usurpait la place de Jésus-Christ jusqu'à le faire oublier, le repousser vers le lointain d'un temps folklorique de pensées magiques où les paroles faisaient plier la réalité sous leur volonté, séparaient les eaux en deux et changeaient l'eau en vin ; un portrait toujours aussi sidérant, magistral. Puis, le psychiatre a laissé tomber, sans agressivité cette fois, plutôt avec douceur :

« En temps et lieu, en temps et lieu. »

Il a fermé les yeux, il a baissé la tête, il a pris une grande respiration, comme s'il s'apprêtait à plonger dans une piscine. J'allais fermer les yeux à mon tour pour l'imiter quand il a commencé son discours :

« Monsieur Paradis est un grand homme et aussi un médecin exceptionnel. Il a deux spécialités, ce qui ne court pas les rues. C'est un anesthésiste, mais surtout un oncologue. Il a sauvé de la mort beaucoup, beaucoup de gens. Des gens qui n'avaient que peu de chances de survivre, voire aucune, des cas désespérés abandonnés par les autres médecins, laissés pour morts. Des miraculés. Croyez-moi sur parole, j'ai été témoin de plusieurs guérisons, certes toutes explicables médicalement, démontrables scientifiquement, mais quand même. Monsieur Paradis avait une passion qui surpassait celle de tous ses pairs. Dans la vie, il n'y avait que lui et la lutte contre la maladie. Il n'y avait que lui et la victoire à s'octroyer contre la mort. »

Le psychiatre s'est arrêté, il m'a regardé un bref moment — regard enflure auquel je commençais à m'habituer —, comme pour jauger ma réaction ; il a caressé de ses gros doigts le jabot de sa chemise rouge, il a sorti un flacon d'une poche de son pantalon, duquel il a saisi une pilule pour l'avaler, puis il s'est assis sur un banc de la première rangée pour m'inviter d'un geste du bras à faire comme lui. Après un temps, il a déclaré :

« Il a sauvé beaucoup de gens de la mort. Maintenant, il sauve des gens de la vie. »

C'était sans doute le trop de fatigue, mais en entendant ça, qu'on pouvait sauver des gens de la vie, j'ai été émue, j'ai senti une vague de tristesse me submerger, de soulagement aussi, car il m'a semblé qu'enfin on parlait de moi.

« À ses patients, avant, durant sa pratique de médecin, il imposait le devoir de garder espoir. Il leur disait que, peu importe leur état, ils devaient s'accrocher, qu'ils pouvaient toujours s'en sortir, qu'il fallait toujours continuer, les traitements, les relations avec les proches, les activités, aussi restreintes fussent-elles. Certains de ses patients ont frôlé la mort de si près, ils sont restés si longtemps à l'agonie, maintenus en vie grâce à un acharnement thérapeutique souvent jugé indécent, immoral, cruel par ses collègues, que ses décisions ont fait l'objet de nombreuses plaintes de sa Société.

« Des poursuites ont été intentées contre lui, mais elles ont avorté les unes après les autres. Mortes dans l'œuf. La coalition des rescapés du cancer était prête à tout pour lui, à casser toutes les baraques, à se parjurer et même, paradoxalement, à recourir à la violence. Certains le comparaient à un messie, d'autres au Dr Frankenstein, on lui reprochait de se prendre pour Dieu, de faire passer son héroïsme avant le bien-être de ses patients. »

Le psychiatre prenait de l'assurance, de l'aplomb. Le débit de ses paroles ne cessait d'augmenter. Il parlait plus vite, plus fort, peut-être était-il bousculé par des amphétamines, qui sait, et que ses paroles s'en trouvaient propulsées, précipitées, ou peut-être était-il simplement emballé par l'histoire qu'il me racontait, qu'il avait dû raconter mille fois, qu'il connaissait par cœur.

« Plusieurs de ses patients qui étaient en phase terminale, rongés par un mal généralisé ayant causé des dommages irréparables, ont vu leur cancer reculer, régresser contre toute attente, leurs métastases disparaître les unes après les autres, leurs organes vitaux fonctionner de nouveau, la douleur les quitter et leur appétit revenir. Ils ont retrouvé leur vitalité perdue dans l'épuisement du combat contre la force noire de l'envahisseur, comme si de rien n'était, jusqu'à la rémission complète. Les traitements qu'il administrait aux patients étaient pourtant à peu près les mêmes que ceux de tous les autres médecins. Seulement, monsieur Paradis refusait de faiblir devant la maladie. Il avait quelque chose de plus que les autres. Il était habité par cette volonté extra-ordinaire de guérir, il avait un talent, une intuition qui le faisaient toujours regarder là où il le fallait, du flair, une manière d'intervenir au bon moment, une patience aussi, un, un... »

Le psychiatre s'est arrêté encore, il a porté une main à sa bouche comme pour empêcher ses mots d'en sortir. Puis, geste rituel de la même main vers le pantalon pour en sortir un flacon, un nouveau, celui-ci rempli de comprimés de toutes les couleurs, pour l'ouvrir et saisir un cachet bleu qu'il a avalé dans un clin d'œil, geste précis et efficace de l'habitude. Mouvement de claviériste des doigts sur ses jabots anachroniques, inutiles, une faute de goût. Fermeture des paupières. Personne ne m'avait jamais parlé aussi longtemps, sur ce ton-là, sauf mon oncle Léon. J'étais contente, c'était là ma récompense : une histoire, un sens qui tienne. Le psychiatre a continué :

« Il avait un don. Ne m'en veuillez pas d'hésiter à employer ce mot-là. En tant qu'homme de science, je sais que ce genre de déclaration peut ruiner des carrières. Il avait un don, oui, et même ses plus grands détracteurs, même ceux qui le dénonçaient avec hargne dans sa Société, le craignaient. Et avec la crainte vient le respect, le renoncement à la rivalité. Parfois, la dévotion.

« Monsieur Paradis était un médecin de génie, mais il était aussi un père. Il avait un fils. Un fils unique. »

Le psychiatre s'est interrompu, cette fois-ci pour enlever ses lunettes et passer une main nerveuse sur son visage gras au front duquel je pouvais voir glisser des perles de sueur.

« Oui, il avait un fils... qu'il n'a pas pu sauver. C'est ainsi. Ironique, non ? Dès l'enfance, son fils était différent de tous les autres enfants. Il ne jouait pas, ou très peu. Il pleurait beaucoup, en apparence sans raison. Il s'isolait. Il n'avait que peu d'amis, et ceux qu'il avait ne venaient jamais chez lui.

« C'était un enfant étrange, inexplicable, qui rejetait ceux qui tentaient de l'approcher. Monsieur Paradis était alors accaparé par son métier, et la mère du fils, elle, n'était pas très présente non plus : elle s'était remariée avec un Européen, elle était partie vivre avec lui, là-bas, en Espagne, à Barcelone, je crois, et elle ne voyait son fils que rarement, deux fois l'an tout au plus. Quand le fils voyait sa mère, il ne s'allumait pas, il demeurait éteint, indifférent, et la mère devait croire à une punition pour cause de délaissement. Elle disait : "Mon fils n'est pas turbulent comme les autres. Mon fils a une âme d'artiste. Il est plus sensible que les autres. Et après ?"

« Le père, lui, pensait que les choses s'arrangeraient pour son fils à la puberté. Ça, je ne l'ai jamais compris car, en général, c'est le contraire qui se produit : la puberté n'amène que des problèmes avec sa force hormonale, cette graine de violence, celle qui permet de passer des désirs aux actes, souvent destructeurs. Le fils excellait à l'école, il était brillant ; il semblait s'ennuyer en classe, mais pour le père, c'était l'essentiel, qu'il soit doué, qu'il réussisse académiquement. Ce qui importait, pour lui, c'était l'intelligence et la capacité de travail, et le fils ne manquait ni de l'une ni de l'autre. Ce dont le fils manquait, ce dont vous manquez, enfin je le crains, c'est d'une force vitale, une force de volonté, celle de vouloir, de découvrir, d'aimer, de croire. Une force de propulsion. Le carburant fondamental. C'est l'essentiel sans quoi la vie n'a aucun sens. »

Je ne savais pas quoi dire. Personne n'avait jamais mis des mots sur ce qui me manquait, plutôt sur ce que j'avais : une dépression, de la misère, la peur des autres, de la difficulté à socialiser. Quelque chose qui manque, c'est dur à voir, c'est difficile à dire.

« Le fils a continué de présenter des caractéristiques psychiques pathologiques alors qu'il est entré dans l'adolescence : une sorte de léthargie, de mélancolie, de tristesse toujours en toile de fond, un désintérêt général, un terrible besoin de s'isoler. Chaque fois qu'on le voyait, il était seul. Ou encore il était avec d'autres, tout en donnant l'impression d'être seul. D'ailleurs, personne ne le remarquait, il s'effaçait, il restait en retrait, on ne savait jamais où il était, où il allait ; il se cachait comme un oiseau blessé qui croit que de ne pas être vu protège des attaques, ou des regards. On n'a jamais bien su, par ailleurs, à quoi il s'occupait dans sa solitude.

« Souvent, on peut comprendre ces états-là, parce qu'un événement grave est survenu. Un abus, une mort. Une peine d'amour. Mais voilà : rien de particulier ne lui était arrivé, au fils. Alors pourquoi ? L'abandon de sa mère ? Sa mère n'était pas la mère idéale, oh que non ! Mais quoi d'autre ? Des millions de mères abandonnent leurs enfants dans le monde depuis le début des temps. Le fils avait tout : la présence de femmes à la maison, des employées pour le ménage et les maîtresses du père qui s'occupaient aussi de lui. Il avait un paquet de substituts maternels. Son père n'était pas très présent, c'est vrai, mais il était concerné, attentif, affectueux : malgré sa vie chargée, il s'occupait de son fils qui obtenait de lui tout ce qu'il voulait. C'était absurde. On ne peut pas être triste pour rien, être triste tout le temps, on ne peut pas ramper comme ça dans l'existence sans raison. Et si jeune ! Si jeune !

« Quand le docteur questionnait son fils sur la cause de sa tristesse, le fils haussait les épaules, il baissait les yeux, il disait qu'il ne savait pas, que c'était comme ça. Un beau jour, alors qu'il n'avait que treize ans, il lui a confié vouloir mourir, il lui a avoué avoir souvent pensé à se tuer, ce qui mit en rage son père qui, lui, se dévouait tous les jours pour sauver des vies, pour écarter de la mort des gens véritablement malades qui voulaient s'accrocher, survivre en dépit de tout, vivre malgré la douleur et la maladie, vivre même dans la souffrance, exister dans toutes les incontinences, mais exister. Exister encore un peu et tout donner pour ce sursis, ne fût-ce que quelques jours. Au fond, ce que je pense, c'est que monsieur Paradis, en entendant ces mots, a jugé que c'étaient là les paroles de l'immaturité, que ce n'était pas sérieux. Il n'y a pas cru.

« Deux ans plus tard, le fils a fait une première tentative de suicide. Il était alors âgé de quinze ans. Il a vidé la pharmacie du cabinet du père, dont il avait, apparemment, le code d'accès. On l'a retrouvé couché sur le plancher du cabinet, de l'écume séchée à la bouche, les yeux révulsés. Il a été découvert dans un état d'inconscience proche du coma par un employé de l'hôpital qui faisait le ménage. Des analyses ont permis de trouver des traces d'analgésiques, d'amphétamines, de cortisone, d'opiacés, et j'en passe... Oh, la plupart de ces médicaments n'étaient pas mortels pris séparément, et ils n'avaient pas non plus été ingurgités en fortes doses, mais leur interaction était, elle, hautement létale. Il a eu de la chance de s'en sortir. Ou de la malchance, c'est selon. »

Un silence bienvenu s'est installé pendant lequel nous avons tous les deux observé le portrait de monsieur Paradis, à la lumière, nouvelle pour moi, de son histoire. Depuis le fond de l'église, derrière l'autel, son regard de tristesse était toujours fixé sur nous. Je comprenais : il pleurait son fils. J'ai ressassé dans ma tête tout ce que le psychiatre venait de me révéler, j'avais l'impression qu'il s'était adressé à moi, à mes propres gestes désespérés, ratés. Le psychiatre a repris un cachet, une gélule rose et longue cette fois, il a sorti une petite fiole remplie d'un liquide, sans doute alcoolisé, pour l'avaler avant de poursuivre :

« Une fois le fils hors de danger, le père, terrassé, dans un état de stupeur qu'on ne lui avait jamais connu, a décidé de prendre les choses en main : il a fait hospitaliser son fils pendant des mois, plus d'un an. Il lui a fait passer une panoplie insensée de tests, tous éprouvants pour le corps comme pour l'esprit, des prises de sang à n'en plus finir, des scanners, des caméras miniatures voyagées en lui pour voir l'intérieur du système, des tests neurologiques, des analyses biochimiques du système nerveux, des résonances magnétiques, des prélèvements, biopsies, radiographies... On n'a rien trouvé. Son fils n'avait rien. Il était en parfaite santé. C'était à n'y rien comprendre. Le père a entrepris de le faire suivre par une équipe de psychiatres dont je faisais partie. C'était une prise en charge d'envergure, mais il y avait trop de médecins posant des diagnostics contradictoires, les conditions de travail étaient mauvaises. C'était impraticable. J'ai essayé de le raisonner, de lui faire comprendre qu'un encadrement trop serré pouvait étouffer son fils, provoquer l'effet inverse, lui nuire, mais il ne voulait rien entendre. Antidépresseurs de toutes les familles, parfois en doses de cheval, anxiolytiques, antipsychotiques, et je soupçonne même des électrochocs. Tout a été tenté sur le fils assommé, zombie, gonflé, enflé, abêti par la médication, pleurant moins, dormant plus, n'exprimant rien non plus, observant, en se berçant, ses deux pouces collés l'un contre l'autre pendant des heures comme si ses deux pouces étaient la seule présence qui comptait. Il n'était pas plus heureux, pas plus malheureux, d'une certaine manière on peut dire qu'il était mort. Une mort cérébrale, à tout le moins.

« Après quatorze mois d'hospitalisation pendant lesquels quantité d'experts, souvent venus de l'étranger, l'ont examiné, et pas seulement des neurologues ou des psychiatres mais aussi des psychanalystes, selon moi tous des charlatans, le fils continuait de subir la gouverne indéfectible du père dévoué. Il ne cessait de le visiter, de lui parler, de lui tenir la main et même de dormir dans sa chambre, la nuit. Il a dû se résoudre à l'inconcevable : ce qu'il arrivait à faire pour tous les autres, il ne pouvait le faire pour son fils. Seul son fils résistait à ses soins, à son don. Son propre fils, son fils unique neurasthénique rejetant la vie, restait imperméable à sa magie. Sa bienfaisante sorcellerie se montrait impuissante devant tant de souffrance convaincue, impossible à localiser, surpassant tout, transcendant tout, un défaut de fabrication, un vice caché sans remède. On aurait dit que le fils voulait anéantir le père en même temps que lui-même, que son unique projet, son unique visée était d'incarner son plus grand échec. Un échec exalté par les liens du sang. »

Écouter me faisait mal. J'avais envie de hurler à la lune, comme un loup. J'ai touché l'épaule du psychiatre pour qu'il s'arrête. C'en était trop pour moi : je me reconnaissais partout, à chaque mot, dans la catatonie et le côté lymphatique de l'être qui se refuse à la vie ; il racontait ma propre histoire, avec ma mère, ses efforts à elle, repoussés, invalidés, en pure perte. Je pleurais à chaudes larmes, toute gêne m'avait quittée, je me mouchais à même mes doigts pour les essuyer sur le banc en bois de cette église en chemin pour la ruine, relique pourrissante d'un temps révolu.

Le psychiatre m'a tendu des mouchoirs usés, en boules, tirés d'une poche, sans me regarder, comme un ivrogne affalé dans une ruelle passant sa bouteille à un compagnon d'infortune : nul besoin de contact autre que celui de l'objet à partager quand on est au fond du baril, quand on est foutu. Il a tout de même repris son récit ; pour lui aussi, c'était exigeant et douloureux :

« Même si le fils a survécu, la déception du père, son désarroi devant l'inexplicable, l'ont poussé à s'éloigner : il s'est plongé encore plus profondément dans sa pratique, il a continué à soigner ses patients, à les guérir, à s'attaquer au mal de tous ces gens atteints qui le consultaient, qui croyaient en son pouvoir de guérison. Il ne pouvait plus rien faire pour son fils, sinon rester là, mais sa surveillance d'abord affectueuse et inquiète était devenue froide, méprisante aussi, et le fils, qui le sentait, n'allait pas mieux.

« Un soir, il est allé vers son père pour lui parler. C'était un geste étonnant de la part du fils taciturne et sans grande initiative qu'il était, et le père a donc écouté. Le fils a dit : "Puisque tu es anesthésiste, puisque tu connais la fine ligne organique entre la vie et la mort, puisque tu possèdes la connaissance de cette ligne entre le corps et le cadavre, et puisque tu as vu des gens la franchir, cette ligne, que tu peux si bien la cerner, la maîtriser, pourrais-tu, s'il te plaît, m'aider à mourir ? Pourrais-tu m'endormir, me faire verser vers la mort ? Oh ! Je t'en supplie, papa, aide-moi !"

« Le fils pleurait, il mendiait la mort à son père, lui qui ressuscitait les gens, lui qui faisait à toute fin pratique revenir ses patients d'entre les morts. Pour la première fois de sa vie, le fils évoquait son mal, il avait lâché son morceau de malheur... et ce serait aussi la dernière fois qu'il parlerait à son père de sa vie.

« Selon le fils, selon ses propres mots, il ne savait pas pourquoi il était malheureux, mais il l'était et irrémédiablement ; il en avait cherché la cause, en vain ; la seule chose dont il était certain était que chaque jour lui amenait un lot de souffrance intolérable, chaque matin débouchait sur une journée de pesanteur à attendre l'endormissement, un nombre d'heures interminables à traverser pendant lesquelles il songeait à la mort, la souhaitait, des heures à convoquer des forces célestes pour qu'elles le soustraient à son existence ; il avait essayé d'être comme tout le monde, mais il n'y était pas parvenu ; il n'y parviendrait pas ; pire, il ne le désirait pas ; il détestait la vie et tout ce qu'elle contenait : les gens, la nécessité de frayer avec les autres, l'énergie que l'existence exigeait, le ciel, la terre, le soleil, la lumière du jour, le noir de la nuit, les rêves, la ville, la campagne, l'école, les garçons aussi bien que les filles, la nécessité de manger, de boire, de dormir, de subir des pensées désagréables et inutiles... La perspective d'avoir un avenir l'effrayait, lui faisait honte, voire l'offensait. Qu'avait-il fait pour naître ? Lui avait-on demandé son avis avant de le jeter dans l'être ? La vie était une agression, un viol fondamental. Le laisser vivre voulait dire ne pas le soigner, lui refuser l'aide dont il avait besoin, c'était dire non à l'amputation de ce qu'il haïssait, de ce qui le rendait si malheureux : la vie en soi, la vie tout court.

« Le père, de son côté, en écoutant son fils, a senti monter en lui la colère. Une colère contre lui-même, peut-être, mais surtout contre son fils, cette lavette, cette déception. Son fils était une aberration de la nature. Son fils n'était pas viable, alors qu'il avait tout, alors qu'il avait trop, bien plus que ce que la survie demande. Peut-être a-t-il tué son fils dans son cœur, ce soir-là. Il a regardé son fils, il l'a empoigné par le cou d'une main de commandant devant une décision à prendre, il l'a attiré vers lui pour lui parler dans les yeux, son visage rivé au sien, le ton grave, verdict final du juge, maillet à la main, prêt à s'abattre : "Tu veux mourir ? C'est ça que tu veux ? Eh bien, sois donc un homme pour une fois et fais le toi-même ! Qui sait, ce sera peut-être la plus grande réalisation de ta vie !"

« Jamais paroles aussi dures ne sont sorties de la bouche d'un pareil philanthrope.

« Une fois la sentence rendue, unanime, uni-latérale, il y a eu un silence de plusieurs mois. Le père refusait de voir le fils, le fils ne cherchait pas à voir le père. Ils vivaient sous le même toit, mais la maison était assez grande pour qu'ils puissent s'éviter l'un l'autre.

« Après avoir été de garde toute la nuit, le docteur est entré chez lui au petit matin ; il a tout de suite senti une forte odeur dont il avait tant l'habitude : ferreuse, lourde, poisseuse. Celle du sang. Il s'est avancé dans la pénombre de sa demeure, et il a glissé dans un liquide visqueux à plat ventre. Il s'est étalé de tout son long dans ce qu'il allait vite découvrir comme étant une marre de sang, considérable, une quantité de sang étonnante, précisément celle que peut contenir un corps humain.

« Sans avoir vu le corps de son fils, il savait qu'il s'agissait de son sang à lui. Il a allumé la lumière du couloir de l'entrée, couvert de sang, le visage aussi, affolé, vociférant des injures à Dieu auquel il n'avait jamais cru, cherchant partout son fils, criant son prénom, réclamant sa présence même s'il savait qu'il était mort.

« Puis, il a levé les yeux au plafond, chez lui très haut. Son fils était pendu par les pieds, la gorge tranchée : son sang avait reflué vers la tête, son sang s'était échappé par l'ouverture de la gorge, d'une coupure nette, longue, profonde. Son fils s'était presque décapité, sa tête pendouillait, ensanglantée, prête à se détacher au moindre coup de vent, au moindre souffle. Personne n'a jamais compris comment il était arrivé à se faire ça à lui-même. Tout le monde a pensé, sans jamais le formuler en paroles, qu'il avait engagé quelqu'un pour le tuer. Il lui aurait fallu se pendre par les pieds avant de s'ouvrir la gorge, ce qui était en soi de l'acrobatie de haute voltige, un exploit, et l'arme tranchante qu'il avait utilisée n'a jamais été retrouvée.

« Le fils a laissé cette note, déposée sur le lit du père : *Tu avais raison, papa, je n'avais pas besoin de toi. Je n'ai jamais eu besoin de toi.*

« Je n'ai plus jamais revu monsieur Paradis. Les jours qui ont suivi, il n'est entré en contact qu'avec les personnes responsables des procédures légales, administratives et techniques nécessaires au traitement des cadavres. Le strict minimum. On dit qu'il était méconnaissable, livide, muet ou parlant tout haut, à lui-même ou à des êtres imaginaires, son être secoué de tics qu'on associe en général aux psychoses. Il n'y a pas eu de cérémonie d'enterrement, seule la mère a eu l'autorisation de pénétrer le huis clos entre le père et le fils. C'était peut-être une défaillance de son courage habituel, ou encore un désir de respecter enfin la volonté du fils de rester en dehors de toute société, de tout rassemblement de gens, de tout rituel, seul et enfin libre dans la mort.

« Monsieur Paradis a disparu pendant dix ans. On dit qu'il a voyagé à travers le monde, incognito, et qu'il en a fait plusieurs fois le tour. On dit aussi qu'il est devenu ermite, qu'il s'est isolé dans un coin aride des Andes, en Amérique du Sud, avec les chèvres.

« Un jour, il est réapparu, façon de parler, pour fonder Paradis, clef en main. Il est devenu un visionnaire, un homme d'exception invisible mais acharné, comme il l'avait toujours été. Il est encore aujourd'hui introuvable, mais il vit toujours, quelque part. Je crois qu'il n'a jamais cessé de penser à son fils. Il a compris que la vie, dans certains cas, était une maladie à soigner. Qu'il était de notre devoir, en tant que société, en tant qu'êtres humains, de la traiter. Cette maladie, c'est l'énergie, la volonté, la foi. Ou plutôt, c'est leur défaut. C'est une absence primordiale de ce qu'il faut pour vivre, pour vouloir vivre, un défaut de force vitale antérieur à l'expérience de la vie, permanent, intolérable. Sans cette énergie, le monde n'a aucun sens. Et cette énergie ne se force pas, elle ne se médicamente pas, aucune pilule ne s'y substitue, ou seulement temporairement, elle ne s'injecte pas. Elle ne s'invente pas..

« Peut-être que monsieur Paradis, avec le temps, en penseur qu'il était, en est venu à la conclusion qu'il est inutile d'interdire l'assistance au suicide parce qu'une véritable envie d'en finir trouve toujours son chemin vers la mort.

« Voilà, c'est tout ce que j'avais à vous dire. »

Le psychiatre avait fini de parler, il avait tout dit, ou il n'avait pas tout dit. En tous cas, il en a dit assez pour m'aider à comprendre, à commencer par moi-même. Un long moment a passé. Je voulais m'enfuir, mais je ne le pouvais pas, j'étais tiraillée par des mouvements contraires, il m'était impossible de rester seule après avoir entendu le récit de ma propre vie, mais je n'avais plus envie d'en entendre davantage non plus. Il a tout de même repris :

« On a fait des tests sur vous, quand on vous trimballait en voiture.

— Je sais.

— Vous devez déjà savoir que vous n'avez rien. Vous êtes en parfaite santé. »

Retour au jabot chatouillé par ses doigts boudinés, long bâillement, regard infatué sur moi en train de m'essuyer les doigts avec des mouchoirs poisseux. J'avais envie de les lécher, je les ai donc léchés : les règles sociales, la bonne tenue, le savoir-vivre n'avaient plus de sens à ce stade, dans ce lieu.

« Plus je vous regarde et plus je vois en vous quelque chose de votre oncle Léon. Vous avez son âme. Ou son manque d'âme. »

Il s'est levé. La consultation était finie. Il s'est tourné vers moi :

«Vous savez jouer au poker ?

— Oui, pourquoi ?

— En temps et lieu, en temps et lieu. En attendant, pensez-y bien. Vous pouvez changer d'avis à tout moment. Il n'est pas trop tard. »

Il a fait quelques pas, louvoyant, incertain, affecté par sa misère altérée de psychiatre.

« C'est l'heure d'aller au lit. Vous devez partir, maintenant. Il vous faut attendre la suite. »

Il est retourné dans le confessionnal, il en a refermé la porte pour s'écrouler, masse évanouie, échouée.

En chemin vers la sortie, j'ai entendu une nouvelle agitation dans le confessionnal, celle du psychiatre qui entreprenait de se relever. Je me suis retournée et j'ai vu sa tête en sortir : la monture de ses lunettes s'était décrochée de l'une de ses oreilles et lui passait en travers du visage, ne lui laissant qu'un œil énorme me chercher au loin, me trouver enfin.

« J'ai toujours pâti de ma petitesse. J'ai toujours cru que les gens de grande taille étaient forcément heureux, surtout les femmes jeunes et jolies comme vous. C'est con, non ? »

Sa tête a disparu, engouffrée dans le silence de l'église.

Dehors, la voiture sport m'attendait.

LÉON

Aujourd'hui, c'est mercredi. Comme les dimanches, les mercredis n'ont rien de spécial, ils ne sont qu'un certain nombre d'heures coincées entre les mardis et les jeudis. La démarche du temps n'a pas grand emprise sur les corps soumis à une routine élaborée par autrui. Par autre truie. Je suis un poupon dans une pouponnière à grandes personnes débarquées de leur station debout, incapables de colonne, invertébrées. Pour bébés mous à jambes encombrantes.

Dehors, il pleuvasse. Malgré l'air climatisé, qui fait la loi dans mon monde, qui fait la pluie et le beau temps de ma chambre, je sens la couche de gouttelettes d'eau en suspension qui recouvre la ville. Comme moi, les gens sont contraints de séjourner à l'intérieur, les immeubles sont autant de parasols faiseurs d'ombre, de zones fouettées par le vent de synthèse de la climatisation. Le soir, ils sortent, ils se déchaînent, ils ruent dans les brancards des terrasses surpeuplées où l'on mange jusqu'à minuit et où l'on boit jusqu'au milieu de la nuit.

Depuis plusieurs jours, je mange ce que ma mère prépare. Je bois moins, donc je ne vomis plus. Ma révolte d'adolescente me semble niaise, puérile. C'est passager. En tous cas, je l'espère.

J'ai reçu en cadeau un chaton gris tigré que j'ai appelé Moustafa et qui cherche dans ma chevelure les tétines de la chatte responsable de sa chute dans l'existence. Donc de sa faim. Donc de son inassouvissement. Donc d'une course à sa perte permanente d'appétit. Moustafa voit en moi sa chatte de mère porteuse qu'il a peut-être quittée trop tôt, il désespère de trouver dans ma touffe brune une nourriture toujours à disposition. C'est facile d'être à disposition quand on est paraplégique. Parlez-en à ma mère. C'est facile d'être une chatte tétée sans tétines quand notre propre corps ne nous appartient pas, quand la vie impose une position précise, la grande matraque de l'immobilité. C'est peu probable que j'écrase Moustafa dans mon sommeil comme j'ai écrasé l'autre, quand j'étais petite. Ça, c'est une bonne nouvelle.

Je me sens mieux et ça m'inquiète. Ma mère a gagné. Elle le sent, chaque jour son sourire s'épanouit sur son visage âgé bien que lisse et sans rides. Sa joie s'étire dans l'exhibition de ses dents symétriques blanchies au laser et ça ne me fait rien. Ça me fait même chaud. C'est temporaire : la domestication est une pause obligée dans l'exercice de la sauvagerie.

Son assurance la fait s'avancer en terrain glissant : elle m'a proposé, hier, de me procurer une chaise roulante électrique à la fine pointe. Ce qui veut dire, entre les lignes : sortir de mon lit pour réintégrer le monde. Ça m'a fait hurler de rage, juste de penser aux gens et à leurs regards de pitié sur moi, à leurs sourires de condoléances, de sympathie, à leurs yeux en glissade sur mon corps en guenille, incontinent.

« Si tu ne le fais pas pour toi, fais-le donc pour moi.

— Tu es folle.

— C'est toi qui es folle de refuser de prendre ta place dans la société, Toinette.

— Quand vas-tu comprendre, maman ? Je n'en veux pas de ta latrine roulante, de ta chiotte électrique haute vitesse. Si j'accepte de m'y asseoir, ça ne sera que pour me jeter devant une voiture. Je roulerai sans hésiter jusqu'au pont Jacques-Cartier pour me jeter en bas, tiens ! »

Malgré la menace, malgré le chantage traditionnel, le sourire de ma mère persiste, il ne s'efface pas. Dans son cœur, elle sent l'heure de la gloire toute proche. Elle sait que, bientôt, très bientôt, je vais finir par céder. Par me soumettre en sortant de mon lit. Par plier, en me libérant.

Cette nuit, plusieurs citrons se sont décrochés du citronnier. Je ne peux pas les repérer sur le plancher depuis mon lit, leur décrochage est la conclusion logique de leur absence dans l'arbre à fruits, d'où ils sont sans doute tombés comme des oisillons en bas du nid. Quand ma mère viendra tout à l'heure, elle les ramassera, elle s'en servira pour cuisiner, elle les disposera en rondelles dans mes assiettes pour les agrémenter. Une sorte de cannibalisme végétarien qui consiste à manger la chair d'un être qui fait partie du décorum familial, une chair juteuse qu'on a vue grandir et fleurir.

Mais ma mère, ce n'est pas tout.

Je dois parler de Léon. Ça, c'est le plus dur. Mon histoire avec lui n'est pas une histoire d'action. C'en est une de brouillard dans lequel je dois avancer à tâtons. C'en est une de complicité silencieuse et aussi d'entraînement vers la mort. Nous étions toxiques, oui, mais cette toxicité était une essence, et non le fruit de notre rencontre.

Léon est le seul homme que j'aie aimé dans ma vie.

Il a été, pour tous les autres, une présence crimi-nelle, malade, perverse. S'ils savaient. Si les autres savaient, ils n'apprendraient rien, ils n'en penseraient pas moins. Les autres ne veulent rien savoir, jamais.

Ah oui, j'oubliais : je n'ai pas de père. Mon père réside dans le geste d'un don de sperme, dans une éjaculation à but procréatif et dans la volonté de ma mère de le réduire à ce don. Je sais que le sujet du don de sperme, du père miniaturisé dans l'un de ses spermatozoïdes, celui qui m'a façonnée en épousant l'ovule de ma mère, mériterait que je m'y attarde, que je m'y penche davantage. Mais voilà, je n'ai rien à en dire.

De cette parcelle biologique, proche et lointaine, enfouie dans les entrailles de ma mère à sa demande, je n'ai rien à dire, enfin rien de plus que la petitesse risible déjà constatée d'un père déchargé dans une fiole, d'un père congelé, sélectionné, enfourné. D'un père évacué. Qui n'a d'ailleurs jamais occupé beaucoup de place dans mon esprit.

Mon vrai père, ç'a été Léon. Un mauvais exemple de père, un père pesant mais père quand même. C'est lui qui est venu vers moi quand j'étais petite. C'est lui qui a fait les premiers pas de tortue. Vue de l'extérieur, je me fondais dans la masse des autres enfants. Comme eux, j'allais à l'école et je réussissais bien, mais la masse ne m'admettait pas. Le monde autour m'était fermé. C'était réciproque. Je ne jouais pas. Ou encore je jouais par obéissance : « Joue donc avec les autres ! Joue donc à la poupée ! » me commandaient mes professeurs et ma mère ; et moi de jouer avec les autres pendant un temps réglementaire, ne sachant trop quoi faire d'eux, ni de moi parmi eux, ni de la poupée qui se refusait à prendre vie, qui se butait devant la personnalité à prendre, la joie ou la peine à exprimer. Je ne savais pas si je devais la flatter comme on flatte un chat, si je devais lui parler ou me taire, si je devais supposer qu'il y avait entre nous un lien télépathique, ou si la poupée n'était qu'une surface réfléchissant ma propre inertie. Toutes les poupées que j'ai eues, et j'en ai eu beaucoup, étaient des cadeaux à mon image de ma mère qui en faisait la collection, et elles n'ont été que des petits cadavres distrayants, éducatifs, de la viande morte en plastique.

Les gens autour étaient comme les gens à la télévision ou sur le Web : visibles mais intouchables, lointains, venus d'ailleurs, des Pygmées, des fantômes de l'Égypte ancienne. Je les côtoyais sans qu'ils me concernent, sans qu'ils me touchent.

Un autre exemple : je n'avais aucun désir de plaire à mes professeurs. La notion de récompense dans la reconnaissance d'un talent proclamé à haute voix ne me faisait rien, seule l'idée de punition aurait pu me faire bouger, et encore. L'action principale de ma vie a été de fuir. À toutes jambes.

Maintenant que je n'en ai plus, je suis forcée de parler, donc de m'arrêter de courir pour comprendre.

Léon n'était pas laid, mais son charme, ou le charme qu'il aurait pu avoir, a été travaillé, labouré, maltraité de l'intérieur par une souffrance lancinante et la rareté des moments de soulagement. Il était de taille moyenne, plutôt chétif, les épaules tombantes, le dos un peu rond : la masse musculaire et la prestance qu'il aurait pu développer, la charge de séduction que son corps contenait, son potentiel érotique, a fait demi-tour devant tant de convictions de mort.

Comme pour moi.

Seuls ses yeux verts étaient remarquables, comme ceux de ma mère. Mais son apparence n'avait pas d'importance. Son corps n'avait pas d'importance. Tout ce qui est voué à la déchéance n'a pas d'importance. À la limite, rien n'a d'importance, sauf les fossiles et l'extraordinaire longévité des astres.

Léon a tout de suite vu ma différence, qui était aussi la sienne. Il m'a prise par la main, il m'a assise sur ses genoux, il m'a bercée, il m'a soignée comme on soigne les mourants : en les sachant d'avance intraitables.

Plusieurs images de mon enfance sont restées prégnantes. Encore aujourd'hui, elles sont toujours vivaces, peut-être significatives. Ou peut-être pas, difficile de savoir.

Je me souviens d'un jour de printemps où l'air était saturé de cette mousse blanche que produisent les arbres, envahissement de plumes minuscules qui font rougir les yeux et qui chatouillent les narines, spécialement conçues pour féconder le sol d'arbres à venir et faire éternuer la populace en provoquant des allergies.

Je me trouvais dans la cour de l'école primaire où j'étais inscrite, sans doute à ne rien faire en particulier, peut-être à regarder à la dérobée les autres jouer, courir, piaffer, se bousculer par jeu mesquin de rapports de forces. Les enfants qui, en temps normal, ne me regardaient pas, me regardaient ce jour-là avec un drôle d'air, le sourire narquois. Je n'ai pas compris tout de suite pourquoi.

Mais la raison des regards de travers s'est imposée très vite : je portais un chandail jaune fluorescent. Un fluo terrible à regarder, je dois l'avouer. Cette couleur-là ne pouvait aller bien à personne, mais je ne me voyais pas. J'étais une enfant sans conscience de dégager quoi que ce soit. Je me croyais sans pouvoir d'impact. La notion de laideur n'avait pas encore été intégrée, elle était toujours sous commission maternelle, elle était validée ou écartée par le regard d'une autre, et je ne savais pas non plus qu'on pouvait m'isoler du reste du groupe et me singulariser, même par la moquerie. Pour la première fois de ma vie, j'étais visible, surexposée, et c'était en tant que tare soulignée au marqueur.

La couleur jaune tombait mal. La semaine précédente, l'école au complet avait dû se faire tester pour prévenir une pandémie de grippe animale et mortelle, l'une de ces grippes nouvelles entre les nouvelles grippes issues de l'élevage massif de bétail industriel entassé et génétiquement modifié. Tous les élèves, cette semaine-là, avaient dû uriner dans un contenant en plastique. Pendant des jours, on les a vus déambuler dans les couloirs, leur pisse scellée dans un petit pot tenu dans la main. Quand les élèves se croisaient dans un couloir, ils se lançaient un « *cheers* » réciproque en soulevant leur pisse dans les airs comme si c'était un verre de vin blanc.

Pendant plus d'un an, la reconnaissance mutuelle générée par une expérience commune mettant en jeu l'intimité profonde est restée dans les annales. Un *running gag* qui a roulé fort. Pendant cette année-là, moi aussi, j'ai été un *running gag* : en me croisant à l'intérieur des murs de l'école et même à l'extérieur, on me balançait un « *cheers* » entendu que je tentais d'ignorer, qui chaque fois s'emparait d'un bout d'amour-propre déjà manquant.

Le chandail appartenait à ma mère, qui l'avait porté enfant et qui l'avait conservé pour une raison que j'ignore, sans doute parce que, sur elle, la laideur prenait un autre sens, celui de la subversion et de l'acte volontaire. De la bravoure. Ma mère, loin de prévoir les risques que j'encourais en le revêtant, m'y a encouragée :

« Comme il te va bien ! On dirait qu'il a été fait pour toi. »

Dans la cour d'école ce jour-là, un garçon s'est moqué de moi. Il s'appelait Lyndon. Il m'a fustigée du regard, cause de stigmate pour rien. Car ce n'était rien. Qu'une anecdote, du banal, du pseudo-trauma. Lyndon était un anglophone qui ne prenait que rarement la parole. Quand il le faisait, il restait toujours poli, affable, il se tenait comme du monde. Souvent, il disait *obvieusement*, il francisait *obviously*, et personne ne l'a jamais corrigé : c'était un anglophone, il n'avait donc aucune obligation vis-à-vis du français. Au contraire, il lui faisait une fleur, au français. Il se montrait plus discipliné que la plupart des autres enfants et toute sa personne transpirait la timidité. Ces traits de caractère m'ont frappée parce que, comme lui, je ne parlais jamais, seulement quand j'étais forcée de le faire. En classe, je ne posais jamais de questions, j'observais les autres élèves attablés à leurs leçons, je restais imperméable au groupe qu'ils formaient. Sa retenue habituelle a rendu l'événement d'autant plus humiliant, marquant. Il s'est approché de moi avant de me désigner du doigt et de s'adresser aux autres enfants avec une voix forte et assurée qui a capté leur attention :

« C'est quoi cette couleur-là ? On dirait un test d'*ou*rine ! »

Si j'avais pu, si je n'avais pas été nue sous le chandail, je l'aurais enlevé sur-le-champ. Mais j'étais prisonnière de ma pudeur. Une sensation de morsure a recouvert mon torse, comme si ma peau était la proie d'une armée de fourmis. J'étais un animal encagé dans des fibres synthétiques phosphorescentes et ridicules qui me pinçaient, me sciaient la peau au microscope.

Si Lyndon n'était intervenu que le temps de ce constat assassin, j'aurais pu m'en tirer avec une bouffée de honte bien sentie, mais il s'est acharné. Voyant que les autres riaient, emporté par son propre succès, par ce mot d'esprit de cour d'école, par son tact de petit anglophone exalté, il a commencé à scander, avec une puissance vocale qu'on ne lui avait jamais connue :

« Test d'*ou*rine ! Test d'*ou*rine ! Test d'*ou*rine ! »

Les autres l'ont suivi dans mon propre piétinement collectif en hurlant avec lui « test d'*ou*rine », élément prophétique auquel j'étais réduite, marquage au fer rouge de la pisse que sous leurs yeux j'étais devenue. Je tournais sur moi-même et tout ce que je voyais, c'était une masse d'enfants qui criaient, qui riaient, qui me désignaient du doigt en se référant au monde nauséabond des excréments. Lyndon s'est ensuite jeté sur moi, comme au football, pour me plaquer. Au moment du contact, qui a bien failli me faire tomber, il a hurlé au-dessus de la mêlée :

« *Cheers* ! »

Je me suis enfuie sous les moqueries en me frayant un passage dans l'hilarité générale qui s'était resserrée sur moi. J'ai couru jusqu'à la maison où je me suis enfermée dans la chambre du fond, la mienne, ma chambre d'enfant avec une fenêtre qui donne sur un mur de brique. Une fois à l'intérieur, je n'ai pas pleuré. J'étais comme engourdie, sortie de mon corps. J'ai enlevé le chandail et je l'ai jeté par terre, je l'ai écrasé avec mes pieds avant de le reprendre et de le déchirer en faisant de grands trous à l'encolure, avec acharnement, en reprenant chaque bout de tissu pour en faire d'autres bouts plus petits. Je ne suis pas allée voir ma mère pour me plaindre ou me faire consoler. J'ai regardé, avec mes seins nus d'enfant, la brique sur laquelle se dessinait ce qui venait de se passer à l'école.

C'était déjà loin, et ce n'était pas moi. La fille au chandail jaune me faisait pitié. Je l'observais comme si je la voyais pour la première fois. Une fille jugée et inexcusable de laquelle je me sentais aussi loin que de tous les autres. J'ai baissé les bras. Je me suis laissé tomber. Je me suis quittée comme on quitte quelqu'un d'autre. C'était plus facile comme ça, de continuer à vivre, de poursuivre ma route en me prenant pour une autre. À chacun sa façon de se sortir de la merde.

Du temps a passé. La brique m'a absorbée. J'étais sous hypnose, je me chauffais au feu mauvais de mes pensées. La chambre du fond, elle aussi, cocon sans horizon de rancœur, me tenait captive, elle me préservait du reste de la maison hantée par Dieu la Mère, de son territoire. J'y suis restée, immobile, figée, à contempler l'absence de vue par la fenêtre, à fixer la présence implacable du mur gris.

Combien de temps ? Je ne sais pas. Peut-être une heure. Peut-être deux. J'imaginais être une fourmi détachée d'une longue chaîne de fourmis n'ayant qu'une idée en tête : le découpage et le transport d'un bout de feuille verte dans le lointain et le rapatriement du bout de feuille dans les entrailles sablonneuses du nid, dans ses ramifications de tunnels ; j'étais une fourmi égarée, désorientée car sans tâche particulière à accomplir sauf celle de retrouver ses comparses, prise dans l'ombre d'une chaussure d'un homme qui marche. Puis la chaussure de s'écraser sur elle ; une mort sans douleur. *Crac.* C'est facile de mourir, quand on est une fourmi.

J'imaginais que j'empoignais Lyndon et que je lui envoyais un coup de poing, que je l'assommais avec une droite inattendue, puissante, précise. Le saignement de nez, la plainte, l'humiliation. Sa défaite : « *Obvieusement*, c'est toi la plus forte ! Pardon ! Pardon ! » Je me voyais comme un homme. Comme dans les films. Mais ce scénario me plaisait moins que celui de la fourmi. C'était plus plausible d'être une fourmi.

Un autre scénario impliquait ma mère : c'était d'elle qu'on riait. Je l'imaginais à ma place, bousculée et ridiculisée par un attroupement d'élèves qui l'assiégeaient, resserraient sur elle leur étau, l'étouffaient, lui déchiraient son chandail pour la laisser nue, ses deux mains cachant son absence de seins, tremblante, le visage trempé de larmes. Ce scénario me semblait être le moins plausible des trois.

J'ai pensé à d'autres scénarios. Chaque fois que survenait un événement un tant soit peu intense, je passais des heures, des jours, des semaines à le ressasser, à me le rejouer en boucle, comme une chanson redondante et pugnace qui ne sort pas de la tête, des semaines à lui faire subir des variations où l'humiliation se réactivait à outrance ; parfois, c'était la vengeance spectaculaire, la victoire écrasante et intégrale qui se déployait, qui me reposait de la destruction de moi-même. De moi, il ne restait qu'un squelette, qu'un tas d'os. Des autres, il ne restait que des miettes. Comme pour épuiser la matière maligne qui englue les gens entre eux, qui les positionne dans une fréquentation obligée. Comme pour en évacuer l'acidité, le jus, comme un citron pressé. Je pensais aux fourmis, au coup de poing, quand derrière moi une voix masculine s'est faite entendre :

« Un jour, ce sera fini. »

Je n'ai pas sursauté. J'aurais pourtant dû : je me croyais seule et je ne m'attendais pas à ce qu'un homme m'interpelle. Chez ma mère, il n'y avait jamais d'homme, sauf en cas de nécessité : un policier qui cherche le témoin d'un crime dans le voisinage, un inspecteur des impôts flairant des bonnes affaires, un laveur de vitres offrant ses services. Je ne lui ai jamais connu d'amants, je crois que ma mère a toujours détesté le sexe, non pas à cause du sexe lui-même, mais parce qu'avec lui viennent les hommes. Ironique, quand on pense qu'elle a voué sa vie à l'apparence, à la surface, à la captation des regards.

Je me suis retournée vers l'homme et je l'ai reconnu : Léon. Je ne pensais plus à ma poitrine plate et dénudée qui n'aurait, plus tard, pas grand-chose de plus à offrir. Deux moitiés de clémentines. Jamais avant ne nous étions-nous parlé. Je veux dire avoir une discussion. Il avait la réputation d'être quelqu'un *à problèmes*, c'est-à-dire au potentiel contagieux, à risques de lourdeur, un emmerdeur à éviter. Quelqu'un à changer de trottoir. Qu'on n'invite nulle part.

De son côté, Léon ne cherchait pas à s'entourer et, en sa présence, on sentait qu'il ne faisait que tolérer celle des autres ; il ne courait pas après la compagnie, et surtout pas celle de ma mère, qui d'ailleurs ne le voyait qu'en de rares occasions, entre autres lors de visites de courtoisie, à cause des liens de sang, ou lorsqu'il était à l'hôpital, quand il était traité pour tentative de suicide.

Un jour, ma mère m'a dit qu'on ne peut pas dire « tentative ratée », que l'échec est implicite à la tentative, quand il s'agit de mort. J'en suis la preuve vivante.

Elle ne l'invitait chez elle que de loin en loin et jamais pour longtemps. Sans le laisser paraître, en revêtant le masque plastifié de la bienséance, elle refusait qu'il s'approche de moi. C'était même une hantise. La mauvaise influence dont on ne parle pas, une pomme pourrie qui ne se discute pas. Son grand frère malade. Son petit grand frère adoré mais pas adorable. Le fou du village de ma mère la mairesse. Son petit grand frère qui ne regarde pas dans les yeux. Son petit autiste de grand frère qui se perd dans ses pensées pour lesquelles personne ne montre de curiosité. En plus de son invisibilité naturelle, de son penchant pour la transparence, il exerçait un métier qui contribuait à le marginaliser, à l'effacer, et à jeter sur lui l'odieux, l'opprobre silencieux des masses : il était bibliothécaire « antique ». Il aimait les livres non numérisés, en papier taché de sang ; c'était un rat de bibliothèque qui avait chez lui des milliers de livres, tous vieux, qui traînaient, accaparaient l'espace, dispensaient une odeur indéfinissable de cendre, d'ombre et de poussière. Ma mère le regardait de haut, son amoncellement éparpillé de livres, avec son air dégoûté piégé sous son visage raffermi à coups de crèmes, de médicaments, de chirurgies. Son frère dépositaire de livres en papier qui semblaient être ses seuls amis. Son frère assassin d'arbres.

Quand il venait, elle s'assurait que je ne sois pas là, elle choisissait de le recevoir les jours d'école ou tard le soir, quand j'étais couchée. Les rencontres étaient inévitables entre lui et moi, mais elles étaient toujours supervisées, écourtées, et il faut dire que Léon ne me portait pas attention. Ou si peu, pas plus qu'on en donne aux animaux domestiques, *qu'il est joli le chat-chat, j'en ai déjà eu un qui lui ressemblait.*

De mon côté, je l'observais du coin de l'œil et il ne me regardait pas, il ne regardait même pas ma mère, plutôt droit devant lui, comme un aveugle, les yeux qui ne voient rien, parures étranges rentrées en elles-mêmes, billes vertes désinvesties des formes et des couleurs composant le décor, le monde extérieur.

Son seul environnement, c'était celui de ses livres, de ses pensées, de sa tourmente.

Il se tenait dans le cadre de la porte que j'avais oublié de fermer. Il a dû m'observer un long moment avant de me sortir de ma rêverie.

« Quoi ? ai-je fait.

— Un jour, ce sera fini. »

C'était quelque chose d'étrange à dire. Fini quoi ? L'école ? Les chandails fluo ? Le mur de brique ? Ma mère ? Lui ? Je n'avais pas envie de le questionner, j'étais sur mes gardes et je n'appréciais pas qu'il soit là, à me surprendre, à me voir en train de me frapper à un mur. Il est entré, il a ramassé ce qui restait du chandail puis l'a simplement laissé retomber par terre, au même endroit, tas de guenilles phospho-rescentes, déchues. Il m'a regardée et il m'a souri d'un sourire fatigué, un peu gêné aussi :

« Ta mère a porté ce chandail quand elle avait ton âge. À l'époque, c'était la mode. Elle n'a jamais été très originale. Je comprends que tu n'en veuilles pas. C'est infect. »

Le sens du mot « infect » m'échappait. Mais il critiquait ma mère et ça me l'a rendu plus sympathique.

« Je n'aurais pas dû le briser, ai-je fait. Elle va être fâchée. Peut-être que c'était un *châle* d'arrière-grand-mère. »

Je ne savais pas ce qu'était un châle. J'avais entendu le mot quelque fois, toujours rattaché à une vieille personne, donc à un héritage de poussière et de désuétude.

« Ce n'est pas une grande perte. »

Léon était toujours dans le cadre de la porte ; j'ai tenté de regarder derrière lui, j'ai tendu l'oreille à la présence de ma mère dans la maison.

« Elle est où, ma mère ?

— Elle est partie pour quelques heures. Elle a reçu un... coup de fil. »

Son hésitation à prononcer « coup de fil » rendait ce dernier suspect, sans doute un mensonge, un événement récurrent et énigmatique, une façade.

« Elle a dit qu'elle devait s'absenter. Elle ne devrait pas tarder à rentrer. »

Il s'est tu tout en continuant à me regarder, à me jauger tandis que ma gêne, mon besoin haïssable de fuir, de me cacher, augmentait. J'aurais voulu pouvoir retourner au mur et le faire exploser avec mes yeux aux rayons laser. J'aurais voulu élaborer davantage de scénarios. Je me sentais mal à l'aise, j'avais envie de lui être agréable, mais voilà, je ne suis pas agréable. Je ne l'ai jamais été. J'ai baissé la tête, j'ai encore une fois pensé à ce qui venait de m'arriver, au fait que toute l'école allait s'apercevoir que je n'étais pas en classe. J'avais mal à l'idée que l'histoire rebondisse dans tous les coins, dans toutes les rangées de toutes les classes, qu'elle suive la chaîne déformante du téléphone arabe. Puis, je me suis souvenu de mon manque de valeur, du fait qu'on s'en désintéresserait vite, de moi, de cette histoire. Je ne suis pas certaine que ça m'ait soulagée.

« Tu veux de quoi te couvrir ? Tu dois avoir un autre chandail, dans ta commode, juste là. »

L'évocation brutale de ma nudité m'a pétrifiée. Ma nudité s'est mise à chauffer, j'aurais voulu l'arracher de moi, comme le chandail. J'en ai eu une illusion d'optique : Léon s'est éloigné à grande vitesse, tout en restant sur place, sans bouger, il s'éloignait loin de moi comme s'il s'était trouvé sur un tapis roulant. J'avais oublié que je ne portais rien et, soudain, je m'en souvenais. J'avais oublié et, tout à coup, un homme, un adulte, me renvoyait l'oubli énorme au visage, une mission impossible : j'étais nue. Peu importe que ce n'ait été qu'à moitié, peu importe que je n'aie pas eu de seins, j'étais nue. Je me suis laissé glisser en bas de la chaise pour me recroqueviller sur moi-même, à genoux, penchée sur mes cuisses, la tête entre les jambes, les bras sur la tête.

Une deuxième fois honteuse le même jour, une deuxième fois brûlée par une attention indésirable, le corps traversé par une vague de chaleur acide comme des milliers de petites aiguilles, morsures de fourmis. Venue du ventre pour exploser au visage que je tenais caché.

Léon s'est approché et j'ai eu peur. Je sentais obscurément que ma nudité pouvait l'intéresser d'une manière qui m'aurait fait horreur. Il s'est accroupi à côté de moi et s'est placé dans la même position, par solidarité, comme les gens qui se rasent le crâne pour accompagner les cancéreux dans leur aspect physique, dans leur dégénérescence, pour leur offrir l'illusion de la maladie partagée. Il est resté comme ça, sans bouger, pendant un long moment. Je l'entendais respirer. Quand j'ai relevé la tête pour

voir ce qu'il faisait, il était toujours ramassé sur lui-
même.

Puis, il a lentement redressé la tête, il l'a tournée
vers moi. J'ai vu dans son regard que je n'avais rien à
craindre. J'ai vu dans son regard que je n'avais pas
à redouter, chez lui, cet aspect-là des hommes : le
désir. Il s'est relevé, m'a tendu la main. Je l'ai prise, je
me suis relevée aussi, toujours gênée. Mais je n'avais
plus peur, je n'avais plus honte non plus.

« Couvre-toi. Je t'attends. Après, si tu veux, on ira
ailleurs, dehors, en ville, on ira se promener et tu
pourras tout me raconter. »

Se promener. Tout lui raconter. Me déverser dans
un autre contenant qu'un mur de brique — ce n'est
pas vrai que les murs ont des oreilles. Ça me semblait
une bonne idée, personne n'avait jamais voulu se
promener avec moi avant. J'allais lui obéir quand une
autre voix a fusé derrière nous, aiguë, hystérique :

« Mais qu'est-ce que c'est que ça ! ? Qu'est-ce que
tu fous là, Léon ? Qu'est-ce que vous foutez tous les
deux, pour l'amour ! ? »

C'était ma mère, elle était revenue sans faire de
bruit, en rabat-joie, avec ses gros sabots, sa grosse
cravache mentale.

Le retour de la mère Fouettard.

Ses yeux verts agrandis par la surprise étaient
fous, ils passaient de moi à ma poitrine nue, puis à
Léon, puis encore à moi, à ma nudité, à Léon. Ses
yeux n'en finissaient plus de nous voir, ils n'en
avaient jamais assez de nous découvrir, moi, ma
nudité et Léon, un triangle des Bermudes dans sa

propre maison qui réveillait en elle beaucoup de sentiments mêlés comme l'outrage, la consternation, la satisfaction d'avoir eu raison, d'y avoir déjà pensé, à cette possibilité, à ça, à ce qu'elle voyait, l'inceste, l'abus, la pédophilie, mais aussi la peur, la panique, l'incompréhension.

Ses yeux roulaient dans leurs orbites, rebondissaient sur moi, sur mon absence de seins et sur Léon, semblaient avoir perdu le contrôle de leur roulement, comme une boule lancée dans une machine à boules qui percute toujours les deux mêmes points d'impact, condamnée au circuit fermé.

Elle haletait comme si elle venait de courir trop vite, trop longtemps, à bout de souffle d'avoir trop vu, d'avoir trop pensé à trop de choses pour colmater le trop-vu. Elle a posé la main sur le cadre de la porte, souhaitant s'en remettre à une autre force qu'à celle de son corps. Elle a commencé à fouiller la pièce du regard, elle a vu le chandail par terre, déchiqueté, paquet indistinct de tissu jaune, elle ne l'a pas reconnu, alors elle a recommencé à fouiller, à regarder ailleurs à la cherche de l'arme du crime, d'un indice, de preuves, pour retourner au chandail, à ce qu'il en restait. Elle hésitait à s'avancer pour le prendre, elle a fait trois pas en avant, deux en arrière. Finalement, elle s'est arrêtée sur moi :

— Et toi, Antoinette, que fais-tu là ? Pourquoi n'es-tu pas à l'école ?

Jamais ma mère ne m'appelait Antoinette, que pour les grandes occasions. C'était une grande occasion.

« C'est à cause du chandail jaune. Tout le monde a ri de moi. Je suis partie de l'école parce que tout le monde a ri de moi.

— Qu'est-ce que c'est que cette histoire ? »

Ma mère s'est avancée dans la pièce, cette fois-ci résolument, elle a ramassé le chandail, elle l'a examiné de près un moment, le dégoût au visage, la crispation au front figé et sans rides, puis elle s'est tournée vers Léon, déjà coupable. Surprise par sa condamnation silencieuse, il a lancé :

« C'est elle qui l'a déchiré, ce n'est pas moi. »

Léon avait l'air d'un petit garçon devant ma mère. Ils étaient frère et sœur, mais là, devant moi, dans leur intimité animale, hiérarchisée, ils étaient mère et fils. Il aurait pu garder le silence, mais il a choisi de faire une bourde :

« J'ai tout vu. Le déchiquetage de ton chandail. C'était beau à voir. »

Roulement furieux de yeux dans leurs orbites. Entrechoquement de pensées insoutenables derrière les yeux sortis d'eux-mêmes.

« Quoi ? C'est mon chandail, ça, Antoinette ? C'est bien toi qui l'as réduit en lambeaux ?

— Oui, c'est moi. Mais pas à l'école, ici. J'ai attendu d'être ici pour le briser.

— Un chandail, ça ne se brise pas. Ce n'est pas cassable. Ce n'est pas... solide.

— En tous cas, il est *infèque*. Léon est d'accord. »

Retour des yeux outrés sur la personne coupable du fils Léon.

« Léon, il faut que je te parle. Antoinette, reste dans ta chambre. »

* * *

Ma mère n'en est jamais revenue. L'histoire du chandail, je la lui ai racontée des dizaines de fois, au détail près, se tenait, sans failles, hormis le manque de persuasion des enfants devant l'autorité convaincue qui ne veut pas croire, mais l'image diabolique et à jamais placardée dans son esprit, celle d'une enfant aux seins nus en présence d'un adulte mâle, était plus forte que celle de l'enfant, objet d'une risée de cour d'école. L'image charnelle, plus intéressante que celle de l'humiliation banale, commune et ridicule, criait plus fort, s'imposait, écrasait la réalité. Cassait l'évidence.

« Ma fibre maternelle me le dit ! Je le sens ! »

Son sixième sens. Sa hantise de la virilité parlante derrière le pénis. Elle n'en est jamais revenue, elle a résisté, mais elle a fini par abandonner la partie. Parce que Léon et moi, nous nous sommes revus souvent par la suite. J'allais le retrouver après l'école, parfois le midi. Elle n'y pouvait rien. Elle nous a scrutés longtemps, chienne de garde, chaperon attendant la faute, le péché originel, mais elle ne voyait rien d'autre que ce qui existait, qu'un oncle malade, esseulé, et sa nièce du même bois. Elle ne voyait rien, mais elle *sentait* quelque chose.

Son *ressenti* a fini, à la longue, par s'incliner devant son examen, devant sa traque de mère poule à la main de fer. Peu à peu, elle nous a lâchés. Pas tout à fait, mais suffisamment pour faire passer le message inavouable : elle constatait que nous étions moins malheureux ensemble.

Ensemble, on semblait plus vivants. Deux êtres à moitié morts, ça fait peut-être une vie complète.

Léon connaissait les mots à dire et les gestes à faire. Il a exprimé en mots d'adulte mon propre souhait, encore informe à ce moment-là, celui de mettre fin à mes jours. Il m'a ouvert la porte de Paradis, clef en main. Pas tout de suite mais plus tard, quand j'ai été adolescente.

Dans ma tête, c'est flou. Notre histoire n'est pas claire. La mémoire a ses tours de passe-passe pour contracter ou distendre les images, pour fusionner les lieux, déplacer les visages, superposer des événements sans lien, à jamais entrelacés, réunis, par simple rapport de contiguïté dans l'espace et dans le temps. Ce que je sais, c'est qu'il est la seule personne que j'aie aimée.

Je me répète.

Plus que ma mère, pour laquelle mes sentiments ont toujours été sur leurs gardes. Difficile de dire pourquoi. Peut-être par manque d'espace entre elle et moi. Peut-être par trop de cette distance, infranchissable, qu'imposent les miroirs qui s'allongent, qui se perdent dans le déballage infini de leurs propres reflets.

Léon était un obsédé de sa propre disparition. Souvent, il me disait, comme au premier jour où il m'a trouvée devant un mur de brique : « Un jour, ce sera fini. »

Lui aussi se répétait.

Les gens comme nous se répètent, comme un pianiste répète ses gammes, des perroquets, ils ressassent leurs pensées, ils répètent une inlassable litanie, ils sont pris au piège de l'encoignure comme un jouet confrontant la même surface, le même mur, mélopée lassante pour quiconque n'est pas le plaignant. Ou alors, mon oncle disait : « Un jour, tout sera fini », et je ne savais pas s'il parlait de nous, de nos vies, ou du monde entier. Sans doute les deux échelles se confondaient-elles en un même mal, l'une contenant l'autre. Ou encore : « La vie est injuste », et je ne savais pas s'il voulait dire qu'elle était injuste par erreur, par égarement, étourderie, cruauté, manque de rigueur, qu'elle pouvait donc, à la limite, être juste, ou que le fait d'être en vie était quelque chose d'injuste. « La vie est injuste » et « vivre est injuste » étaient deux observations indémêlables dans ses paroles. Qui correspondaient à ce que je pensais peut-être déjà.

Léon, c'était la présence ultime ; pendant longtemps, il a représenté le seul objet de mes pensées. Je pense que, dans la grande partouze des affirmations sur la vie, il y a l'agglomération des gens qui veulent y participer, qui veulent chanter et danser, qui se tiennent par la main pour former une ronde autour du monde, et il y a ceux qui reculent devant la fête sans jamais y être entrés, qui se tiennent en marge par impossibilité de se reconnaître, de se situer dans la démarche humaine, planétaire, en avant tous, où chacun est lié par la peur commune de mourir.

Je me suis souvent demandé si on pouvait se tuer par peur trop grande de mourir.

Moi, je n'ai jamais eu peur de la mort, du moins en dehors de brefs moments où l'idée révoltante de devoir continuer à vivre au-delà de ma propre vie, par je ne sais quelle magie noire de l'univers, par je ne sais quelle sorcellerie cosmique, me terrorisait. Ne pas avoir peur de mourir, c'est louche. C'est ce qu'on dit.

Je ne sais pas si Léon a pensé les choses avant que je le fasse ou si j'avais déjà en moi ces choses qu'il a formulées. Sans doute a-t-il été l'arroseur d'une graine déjà semée.

Quand j'étais petite, tous les adultes étaient grands et beaux. Surtout ma mère. Tous me mettaient mal à l'aise. Surtout ma mère. De ce malaise, il existe deux explications : ou bien ce sont les autres qui le provo-quaient par leur comportement, ou alors il émanait de moi, il était donc déjà en moi, il venait se poser sur le comportement des autres, lequel en devenait ensuite la cause.

C'est vrai, j'étais une enfant mal-aimée en raison de ce malaise qui me rendait farouche, distante, étrange.

Léon avait sa théorie. La seule différence notable entre les gens était leurs âmes, cette manière d'être aussi particulière qu'empruntée, aussi distinctive que calquée : certains déplaçaient de l'air, comme ma mère, certains commandaient, comme ma mère, certains refusaient de fléchir alors que d'autres sem-blaient immobiles, économes de leur énergie, et ceux-là étaient de la famille des lézards, figés, éligibles qu'aux tactiques de camouflage et de renfrognement, comme Léon. Comme moi. Certains se soulevaient alors que d'autres obéissaient et pliaient. Un mouvement contraire, comme sur une bascule dans un parc : l'un des bouts en haut, l'autre en bas. L'un écraseur, l'autre écrasé.

Quelques mois avant sa mort, Léon a déclaré :

« Ta mère est venue au monde plusieurs années après moi. J'avais cinq ans quand elle est née. Mais déjà elle me supplantait en énergie, elle courait là où je n'avais pas envie de courir, elle parlait de tout ce que je n'avais pas envie de savoir, elle prenait les devants quand l'idée même d'agir me demandait des efforts insurmontables. C'était comme si elle avait quelque chose de plus que les autres. Ou comme si moi, j'avais quelque chose en moins, comme si ce cadeau de l'emballement devant le monde m'avait été refusé. C'était ainsi sans qu'elle ne l'ait prévu, sans qu'elle ne l'ait vraiment voulu. Je crois que les écrasés, comme tous ceux qui attendent un sauveur, guettent l'avènement de leur écraseur. Les écraseurs écrasent de manière autonome, parfois insouciante, sans intervention d'une volonté extérieure, alors que les écrasés ont besoin d'une cause pour se donner une forme, ils attendent cette cause non encore advenue de leurs souffrances à justifier, à comprendre : la force des autres. »

Je ne le comprenais pas toujours quand il me parlait. Souvent même, je ne comprenais rien. Aujourd'hui, avec le recul, je saisis tout.

Quand il parlait, Léon avait l'habitude de s'arrêter en plein milieu d'une phrase, non pas pour mieux réfléchir mais plutôt par conscience de la vanité de toute parole. Souvent, il me regardait, et semblait trouver dans ma présence du courage, comme un soubresaut de vie.

« Une fois que la force des autres commence à prendre de l'expansion, les écrasés commencent du même coup à mourir. Le désir de mourir, du moins, commence à germer, à fleurir, jusqu'à tout recouvrir. »

Pendant plusieurs années, on nous voyait dans le métro, la main de Léon sur mon épaule ; on nous voyait parler, ou nous taire, assis à une table de café ; on nous voyait sourire, nous prendre les mains ; on nous voyait au cinéma ; on nous voyait rouler en voiture dans les escarpements ensemencés de grosses maisons de riches du mont Royal ; on nous voyait partout et on parlait de nous. Quand on ne nous voyait pas, c'est là qu'on s'inquiétait le plus. C'est là qu'on parlait le plus. De ne pas être visibles, tangibles, à portée d'yeux et d'oreilles, apportait de l'eau au moulin des imaginations. Les gens aiment se représenter les choses qu'ils redoutent le plus, qu'ils détestent le plus : l'abus, l'inceste, le viol. Le vice caché.

Pour ma mère, cette relation est la cause de ma révolte contre la vie. Selon elle, c'est Léon qui m'a rendue suicidaire. Je sais que ce n'est pas vrai. Ça n'a jamais été vrai. Entre Léon et moi, il n'a jamais été question de sexe. Jamais elle ne le croira : c'est une écraseuse. Elle sait tout du fait qu'elle croit savoir. Il y a plein de gens comme ça, on n'a pas idée. Le pire,

c'est que souvent ils finissent par avoir raison, simplement par acharnement à croire qu'ils ont raison.

C'est dans la tête.

Un jour, quelques années plus tard, au moment
où il a commencé ses démarches avec la compagnie,
Léon s'est éloigné. D'un coup réparti sur une courte
période. Notre routine s'est étiolée. Il ne m'invitait
plus, il n'initiait plus à rien. Les balades en voiture,
les rencontres au café et les sorties au cinéma se sont
espacées, jusqu'à ce que je comprenne que son désir
d'en finir était plus fort que celui d'être avec moi.

Pendant des semaines, il disparaissait pour
réapparaître transformé, découragé, anéanti ou ravi,
excité par la naissance d'un espoir. Aujourd'hui, je
sais pourquoi : les obstacles à franchir, les caprices
événementiels de Paradis, clef en main. Ça gruge son
homme.

Je crois qu'il reconnaissait que j'étais comme lui,
mais il voulait me protéger de ce qui l'attendait, de ce
qu'il concoctait dans mon dos. Ç'a été difficile. Je
devinais ce qui se préparait et je voulais partir avec
lui. Je voulais partir avec lui pour le suivre, mais aussi
parce que partir était un geste naturel, recherché,
depuis toujours. Quelquefois, dans des moments de
faiblesse, il avouait : « Des gens vont m'aider. » Et
moi, je lui répondais : « Aide-moi. » Je lui disais : « Au
moins, aide-moi à être aidée. » Mais rien n'y faisait.
Alors je me comportais comme avec ma mère, je le
menaçais, je semais le trouble : « Je vais tout dire à ma
mère ! Je vais te dénoncer ! »

Peut-être, qui sait, que j'étais amoureuse. Si je l'étais, je pouvais tourner en traîtresse, chercher à me l'accaparer, à le rendre coupable, responsable. À le rendre écraseur.

Il m'a mise au défi. Il a attendu ma première tentative de suicide pour consentir à me faire entrer dans sa double vie, c'est-à-dire dans la préparation de sa propre mort.

« Ne le fais pas pour moi. Fais-le pour toi. »

Il me disait aussi : « Attends l'âge légal. Attends tes dix-huit ans. »

Comme s'il parlait de chirurgie plastique. Ou de boire de d'alcool, d'acheter une arme.

Tout ce à quoi j'ai eu droit, c'est une adresse électronique, des mises en garde, des instructions. Des allusions à monsieur Paradis, aux suicides qu'il avait orchestrés. Des allusions de rien, qui ne me disaient rien, au scénario de son propre suicide, qui reste à ce jour irrésolu.

Léon s'est emporté lui-même dans sa tombe. Les tombes ne parlent pas. Ce sont les survivants qui les font parler. Et les tombes, dans la bouche de vivants, sont bavardes. Elles n'en finissent jamais de donner de leurs nouvelles.

* * *

J'ai voulu mourir souvent dans ma vie. Mais pour mourir, il faut attendre la maladie, ou l'accident, il faut attendre de s'endormir de fatigue à force d'être vieux ou encore il faut se prendre en charge et se tuer. J'ai essayé plusieurs fois. Ça n'a jamais marché.

Mon corps s'est toujours dérobé à ma volonté et à mes plans. Il me glissait entre les doigts au dernier moment, comme si on était deux personnes différentes. Comme si mon corps avait des desseins propres, une vision autonome de la vie, en dehors de la mienne.

On est plus fort qu'on le pense. Nos veines sont plus difficiles à ouvrir qu'on le croit. Notre cou, plus dur à casser qu'à première vue. Surmonter l'hérissement intégral du corps sur le quai du métro, devant les rails vibrants qui soubresautent, au son des voitures attachées les unes aux autres qui surgissent comme un seul homme, qui arrivent à toute vitesse, c'est beaucoup plus difficile qu'on l'imagine. Notre corps a prévu qu'on puisse vouloir le supprimer, l'anéantir. Et il s'est armé contre ça.

J'ai fait une première tentative de suicide à l'âge de quatorze ans, quatre ans après la tragi-comédie du chandail fluo. On a appelé ça un appel au secours. Un cri d'alarme. On a cru, et c'était peut-être vrai, que je ne voulais pas mourir. Qui sait? Je ne sais toujours pas, encore aujourd'hui, si c'est possible pour quelqu'un de vouloir uniquement mourir, dans la vie, si c'est possible de n'avoir que ça comme but dans l'existence, disparaître à jamais et périr pour de bon. Pour de vrai.

Comme tous les autodidactes, j'ai d'abord commis l'erreur d'employer la méthode la moins efficace : les médicaments. J'ai avalé un flacon de pilules rondes et orange trouvé par hasard chez Léon et que j'ai consciemment subtilisé.

Je ne savais pas que le médicament était conçu pour soigner les psychoses mais aussi pour ne pas tuer les suicidaires. C'est un antipsychotique dont l'overdose létale est irréalisable. Comment pouvais-je savoir ? Si on évite d'informer les suicidaires des moyens sûrs pour trouver la mort, on ne les informe pas non plus des initiatives à ne pas prendre. Surtout si le suicidaire est une jeune adolescente de quatorze ans. Les images de cette première fois sont floues comme celles d'un rêve rêvé il y a longtemps, une éternité, dans une vie antérieure.

Je me souviens avoir volé la fiole pour en avaler le contenu dans ma chambre, chez ma mère. Je ne me souviens plus du nombre de cachets ingérés, une trentaine à tout casser. Je les ai avalés un par un, sans m'arrêter, comme un métronome : je savais que, si je prenais une pause, ils commenceraient à agir sur mon système, à semer la confusion dans mon esprit intoxiqué, à provoquer l'endormissement, en gros à m'empêcher de continuer à les avaler. C'était déjà arrivé à Léon, d'être sauvé par son incapacité à faire entrer en lui la bonne dose. La mortelle. Ça, je le savais.

Je ne me souviens pas du *blackout* qui a suivi. J'ai appris plus tard que c'est ma mère qui m'a trouvée, rampant nue sur le plancher de la cuisine, grognant comme un animal, en plein délire. Elle ne savait pas ce que j'avais pris, elle a essayé de me faire cracher le morceau, mais j'étais incapable de parler. J'étais retournée à l'aube de l'humanité, bancale et écumante, déformée par l'énergie du désespoir, celle de la survie. Je n'étais pas en mesure de me situer dans le temps et l'espace, ni même de savoir qui j'étais. Tout était absorbé par le trop plein des ingrédients chimiques et psychogènes que j'avais en moi.

Je me souviens d'un grand brouhaha d'hôpital, de ma civière allègrement promenée dans des couloirs, des lumières phosphorescentes au plafond qui défilaient comme sur une autoroute, des harnais pour les poignets, des questions qu'on me posait : « Comment t'appelles-tu ? Quel âge as-tu ? » ; je me souviens qu'on a tenté de me soutirer de l'information sur ce que j'avais pris et ce qui s'était passé. Je ne comprenais rien à rien, le monde entier était pétri par mes pensées disloquées, impossibles à rassembler. Puis j'ai fini par saisir ce qu'ils voulaient savoir, alors j'ai mimé avec mes mains le geste de la pilule qu'on porte à sa bouche, plusieurs fois de suite. Après acquiescements de toutes parts, on a voulu connaître le nom du médicament. Je ne pouvais qu'ouvrir la bouche et produire un son que je n'avais jamais entendu, une sorte de gémissement impuissant, supplication de jeune fille perdue, sans moyens, aphasique.

Je ne sais pas combien de temps il a fallu, mais le pétrissage du monde par mon intoxication a fini par ralentir. Je ne comprenais toujours rien. Je me souviens de ma mère qui pleurait dignement, convenablement, à côté de mon lit : « Elle est si jeune ! » répétait-elle. Pour elle, l'enfance ne pouvait pas être malade, du moins pas de cette façon-là. Pas à ce point-là. Je me souviens du charbon qu'on m'a fait avaler, de son goût de craie, de son épaisseur écœurante, je me souviens aussi des selles noires que j'ai expulsées de moi pendant des jours. Du début de ma longue histoire d'amour avec les antidépresseurs, avec tous les assommoirs.

Je me souviens du plongeon que j'ai fait dans une psychose toxique, qui a elle aussi duré des jours. Je voyais des bactéries géantes partout, sur les murs, les planchers, sur mes mains et mes pieds, je les voyais flotter dans les airs. Partout où je posais les yeux, je voyais se tordre des bactéries immenses qui me paraissaient très proches, presque sur moi. J'étais engluée dans leur monde entortillé, omniprésent et invisible pour le commun des mortels. Déplacer le regard n'amenait pas le déplacement des bactéries, qui restaient les mêmes. Alors je me suis convaincue que je voyais des microbes translucides, baignant dans leur liquide d'origine, amniotique, une vie insoupçonnée qui logeait dans mes propres yeux : je croyais que je pouvais voir l'intérieur de mon corps et que la vie microscopique s'en trouvait projetée sur toutes les surfaces extérieures à moi. Je n'arrivais plus à exprimer mes pensées informes, avortons d'idées et de sensations, et pourtant je parlais beaucoup. Je n'arrêtais pas de parler. La prononciation des mots m'échappait, je voulais désigner un objet et j'en désignais un autre, je voulais connaître le jour et l'heure du temps présent et je parlais de chocolat égaré dans une boîte de chez Laura Secord offerte par une quelconque grand-mère au Noël dernier. Je cherchais dans ma mémoire mon numéro de téléphone mais je ne parvenais pas à extirper les chiffres du magma de mes pensées achoppées. J'errais en robe de nuit dans les couloirs. Je marchais tout le temps, j'étais incapable de rester couchée plus de cinq minutes. Quand je voyais une infirmière, j'allais vers elle, je l'abordais de manière frontale, sans permission, je fondais sur elle pour qu'elle jette un œil sur les bactéries, pour les lui montrer, mais l'infirmière du bord me ramenait invariablement à mon lit sans m'écouter. Jamais de ma vie je n'ai autant tenté de communiquer ma pensée, à un moment où je n'en avais plus du tout les moyens.

« Mais qu'est-ce qu'elle a? Qu'a-t-elle bien pu prendre? Pourquoi ne peut-elle pas parler? Pourquoi parle-t-elle en monosyllabes?

— C'est l'effet du médicament qu'elle a pris. On va la garder sous observation, le temps que ça se calme et qu'elle retrouve son état normal. Pour l'instant, on ne peut que lui faire passer des tests sanguins et s'assurer que son état se stabilise.

— Est-elle folle? Va-t-elle rester comme ça?

— On ne peut rien savoir pour le moment. Mais les pronostics sont favorables: votre fille n'a pas de lésions cervicales et ses organes vitaux semblent fonctionner normalement.

— Oh mon Dieu! Oh mon Dieu! Elle est si jeune! Elle est si jeune! Pourquoi? Pourquoi a-t-elle fait ça? »

J'écoutais, j'entendais, mais je ne comprenais pas. Ou alors je comprenais, mais je n'arrivais pas à m'investir dans la situation. J'arpentais les couloirs. Manger était impensable, on me gavait avec des tuyaux passés dans le nez. Je me levais du lit, je découvrais un rond d'urine sur le drap. J'observais ma propre incontinence dans cet espace aseptisé mais souillé, ce nid médical lui aussi mangé par les bactéries infâmes, indifférentes dans leurs circonvolutions, aussi grosses que le lit auquel j'étais confinée de force.

« Elle s'est encore pissée dessus ! »

Le personnel infirmier était dans tous ses états. Je pissais dans mon lit et ça le rendait furieux. Je n'étais pas capable de percevoir mes envies d'uriner, seulement de voir des bactéries partout, partout, même les yeux fermés. Pour tenter de les aider, de m'aider aussi, j'entrais dans des explications qui sortaient en onomatopées ; en cours de route, je devais oublier à qui je m'adressais, je devais oublier l'existence des autres et je recommençais à marcher, à parler dans le beurre.

« Et elle se parle à elle-même, tout haut, en plus ! »

J'ai décidé à un moment de ne plus essayer de dire quoi que ce soit. Je n'ai plus prononcé un seul mot. Pour ma mère comme pour les autres, ç'a été le coup de grâce. Le silence les inquiétait encore plus que mes balbutiements, mon abdication devant l'obligation de décrire mon état les faisait se concerter davantage, pérorer vers le pire.

Ma mère accusait le médecin de lui mentir sur la gravité de ma situation. Elle soupçonnait un vice de procédure. Elle intentait des procès jetés à tour de bras. De mon côté, je ne sentais aucune gêne, aucune honte, je continuais à marcher, à tourner en rond ; je savais que ce n'était pas normal de s'en foutre autant, mais je n'y pouvais rien. J'étais comme un bébé, gaga, sans malice, sans conscience, au bord de l'émergence du langage, au bord de la naissance du monde.

Une fois l'effet des médicaments résorbé, une fois retrouvées mes capacités intellectuelles, j'ai eu honte comme je n'avais jamais eu honte. Pas d'avoir voulu mourir, mais d'avoir été incontinente, folle, d'avoir erré dans un délire huileux et bactériologique et de m'être exposée, de m'être montrée vulnérable, pissant dans mon lit, incapable de parler de manière cohérente, voyant l'invisible ramper autour de moi.

J'ai eu honte d'avoir été dans un état où la honte était un sentiment inaccessible.

Plus jamais je n'ai tenté de me tuer par l'absorption de médicaments.

Léon, à ce moment déjà en retrait, exilé à l'intérieur de lui-même, dans la cuisson de sa mort prochaine, Léon qui avait déjà « rompu » avec moi, n'a été prévenu que plusieurs semaines après mon retour chez ma mère, à la maison. Sa maison à elle. Elle ne voulait pas qu'il le sache, ça lui aurait donné raison, d'apprendre que j'étais comme lui. Que je ne retenais pas du voisin. Ç'aurait prouvé quelque chose qu'elle ne voulait pas concéder. Pour elle, l'influence de mon oncle était mauvaise, irrémédiablement, et elle a même rompu tout lien avec lui.

Pour lui, ç'a été comme un déclic. Ma mise à l'épreuve venait de se terminer, je venais de prouver que je devais guérir de la vie : il devait me sauver de toutes les autres tentatives inefficaces, écorchures et amputations possibles, il devait m'épargner le danger de rester légume, de l'état végétal, il devait me soustraire à la vie en toute sécurité, satisfaction garantie ou argent remis. Coûte que coûte.

Mais pas tout de suite, insistait-il. Il me fallait être patiente, montrer de l'endurance.

J'ai toujours écouté ses conseils, et j'ai été plus endurante que prévu : je n'ai fait le grand plongeon chez Paradis, clef en main qu'à trente ans. Quinze ans après sa mort.

* * *

La mort, j'y ai toujours pensé, d'aussi loin que je me souvienne. Il me semble. Il me semble que j'y pensais déjà à quatre, cinq, six ans. C'est flou. La mort était dans ma tête, la mort venait sous forme d'images qui me hantaient, qui punissaient ma mère ; je la voyais elle-même dans cette mort imaginée où elle pleurait devant ma tombe. Je ne savais pas, enfant, comment procéder, et il n'est pas sûr, dans toutes ces suppositions, alors que je ne faisais que naître au monde, que j'aie vraiment désiré mourir.

Mes gestes approximatifs d'enfant mis en scénario de ma propre mort, imaginée à satiété, me sont tous restés en mémoire. J'allumais des flammes immenses, langues de feu dévorant mon lit, ma chambre, ma maison ; je tombais en chute libre dans un précipice dont mon corps percutait les côtés, une plongée sans fin accompagnée d'un cri en continu que l'écho relançait en cercles, comme un boomerang pris dans le vase clos d'une crevasse insondable, un cri chargé comme si nous étions plusieurs enfants à tomber, à crier, à percuter les pentes rocheuses en laissant chaque fois un bout de nous-mêmes.

Ensuite, les choses se sont corsées, elles ont quitté les décors romantiques pour la laideur et la cruauté des gestes sans lyrisme, bassement efficaces et plus réalistes : pendaisons où les jambes pendulent encore quand retrouvées, les yeux dégueulés des orbites, pisse et merde gonflant le pantalon souillé, dégoulinant par les pieds et formant une flaque mélangée sur le plancher, éjaculation sans sperme ; bains ensanglantés par veines ouvertes, eau rouge et épaisse comme de la soupe, embaumant la salle de bain de ses effluves ferreux, lourds, suffocants ; murs recouverts d'une cervelle explosée avec une arme à feu, le corps affalé, désarticulé, au bout duquel un restant de tête non identifiable est une vengeance à la face du monde. Comme celle de mon grand-père. Un message vide adressé à l'univers froid et lointain.

Pas de lettres, justification aucune. Juste un cadavre qui veut tout dire. Qui laisse aux autres le soin d'autopsier, de faire leur bout de chemin, de déployer leurs efforts vers les réponses à se donner. C'était important, à ce moment-là, de ne pas tout donner tout cuit dans le bec.

Aujourd'hui, je n'ai plus envie de mourir.

Vouloir mourir est souvent inexplicable, mais vouloir vivre après avoir tant voulu mourir, ça s'explique : la mort a déjà eu lieu, elle a déjà été consommée, et le corps, satisfait d'être allé au bout de lui-même, de s'être aventuré à la frontière de la mort, renaît. Une affaire christique. D'être revenue d'entre les morts m'a transformée. Je suis une nouvelle personne, je suis une autre que moi. C'est, je crois, ce que je souhaitais. Au fond, c'était ça, le but : me départir de ce que j'étais, me redécouvrir dans une autre forme. Même si cette forme ne marche pas.

J'aurais voulu que Léon ne se tue pas, j'aurais voulu qu'il m'aime assez pour ça, pour continuer en dépit de son cœur poussif, en dépit de tout, pour se tenir la tête au-dessus de l'eau dans son grand mal de mer devant le défilement des jours gris, qu'il le surmonte encore et toujours, sans fin, comme Sisyphe poussant sa roche roulée en haut d'une montage et qu'il le fasse par amour pour moi, pour me tenir la main encore un peu. Pour m'offrir autre chose qu'un cul-de-sac. Pour se l'offrir à lui aussi, le débouché, la perspective, autre chose qu'un mur de brique. Ce n'est pas moi qu'il aimait. Il aimait que j'aie envie de mourir autant que lui, il aimait reconnaître sa propre dévoration, son autocannibalisme, il chérissait en moi la miniaturisation de lui-même, il aimait voir dans mes yeux la genèse de son propre désespoir. J'étais sa fleur du mal, celle dont il prenait soin.

La vie vaut toujours la peine d'être vécue, ne serait-ce que pour pouvoir jurer contre elle. Ne serait-ce que pour être témoin, tête haute, de son insondable absurdité.

Le suicide, c'est bon à rien. Tous les morts sont des bons à rien.

* * *

Le suicide de Léon est l'un de ceux dont on a parlé dans les médias. Quand l'histoire est sortie, il y a eu une onde de choc. La presse s'exaltait, elle avait entre les mains un *reality show* de la mort organisée.

Spéculations et débats sur la légitimité de la compagnie. Experts expertisant, scandalisés dénonçant, politiciens se prononçant, faux témoins témoignant. Versions abracadabrantes et contradictoires, sans preuves tangibles, sans démonstrations officielles, à partir d'une histoire réellement abracadabrante. Des versions diverses, glorifiées, provenant d'une fuite qui, elle, venait de ma mère. Parce que Léon a été filmé à son insu. On n'a jamais su par qui, sans doute des pro-vie. Peut-être par ma mère.

Sur la vidéo, on ne voit pas grand-chose, qu'un avion minuscule volant dans un ciel rosé, à la tombée du jour, un ciel envahi par une fumée grise. On n'y voit que le point noir d'un avion suivi d'un mince filet de fumée blanche ; on n'y voit que le point de l'avion approchant un volcan excité de petites éjaculations de lave ; puis on voit le point de cet avion qui s'approche des éjaculations, une mouche qui s'approche trop proche d'une source de lumière, qui survole le volcan, pique du nez, puis qui disparaît. *Pouf.* À jamais, sans laisser de traces. Sans rien. Avion et conducteur pulvérisés par la chaleur satanique des éjaculations rouges. Désintégration complète.

Léon s'est jeté, avec un avion dont il était le pilote, dans la gueule d'un volcan en perpétuelle éruption : le Merapi, en Indonésie, sur l'île de Java. Je suppose que, chez Paradis, clef en main, on lui a appris à voler. Je suppose qu'on l'a bien entraîné. Je suppose aussi que Léon y a mis du temps, des efforts, qu'il a dû surmonter sa grande lassitude pour réaliser ce rêve : être dévoré, digéré par le feu immortel et purificateur d'un volcan. On a dû le transporter sur l'île où son avion l'attendait. On a dû assister au décollage, on a dû rester en contact avec lui par radio, alors qu'il était dans les airs. On a dû faire un tas d'autres choses qui me dépassent, qui ont dépassé tout le monde.

On ne sait rien ou pas grand-chose alors que tout a été dit. À la limite, ç'aurait pu ne pas être Léon, sur la vidéo. À la limite, Léon pourrait être toujours en vie, quelque part sur une île, pourquoi pas celle de Java, le visage recomposé par la chirurgie, en paix, le cœur léger d'être mort pour le monde entier sauf pour lui-même, allongé sur une chaise longue, un éternel cocktail bleu à la main, contemplant un ciel obstinément dégagé dans un climat au beau fixe. Moi, je sais que c'est lui. Sa disparition correspond à l'apparition de la vidéo. J'ai repéré chez lui une panoplie de livres sur les volcans et sur la vulcanologie. Sur le coup, ils n'ont pas attiré mon attention. Aujourd'hui, ils ne me sortent plus de la tête. Je regrette de ne jamais les avoir feuilletés.

Le sensationnel de sa mort a racheté son incapacité à vivre. C'est lui tout craché.

Puis, ces mots de lui :

« Quand je mourrai, mon corps disparaîtra au-delà de la poussière, au-delà de la cendre. Je ne veux rien laisser de moi, je ne veux qu'aucune parcelle n'en reste, ne serait-ce qu'un grain de sable, ne serait-ce qu'un atome. »

Ou encore :

« Je ne veux pas laisser à la vie le plaisir de me gruger encore, une fois mort, de faire joujou avec mon corps en le décomposant, en se l'appropriant, en l'ingérant pour former une autre vie, même végétale, même minérale. »

Chez Paradis, clef en main, on ne m'a jamais parlé de lui. Sauf par allusion, quand le psychiatre m'a dit que j'avais son âme. Qu'il voyait de lui en moi.

Jamais on n'aurait pu prétendre, dans les médias, que son geste était l'œuvre de Paradis, clef en main, si ça n'avait été de ma mère et de sa grande gueule de missionnaire, de preneuse de soin des malheureux. On l'a vue aux nouvelles, en boucle, parler haut et fort :

« Mon frère Léon est l'une des nombreuses victimes des assassins qui collaborent à l'œuvre perverse de Paradis, clef en main, sur des principes qui transgressent toutes les lois. C'est une usine à morts ! Monsieur Paradis et ses collaborateurs incitent les plus vulnérables à commettre l'irréparable ! Contrairement à ce qu'ils prétendent, ils ne soulagent pas les gens, ils les tuent ! Ces gens sont des meurtriers, ils doivent être arrêtés et jugés ! »

Grande, digne, belle, ma mère a parlé avec conviction. Pourtant, quand Léon était vivant, elle l'évitait. Elle l'a même renié, après ma première tentative de suicide.

Son frère a commencé à être vivant, pour elle, quand il est mort.

Plusieurs faits restent pour moi inexpliqués : ma mère savait ce qu'il voulait faire, elle savait aussi comment il voulait le faire. Elle me l'a déjà avoué, à demi-mot. Je n'ai jamais su de quelle façon elle s'y est prise pour tout savoir. Léon était prudent, muet, sans fraternité. Cent fois il m'a répété de ne jamais en parler, que c'était dangereux, que ça se saurait, si je m'ouvrais la trappe, qu'à jamais je serais exclue des candidats. Que je serais peut-être en danger de mort. Je ne sais d'ailleurs pas pourquoi ma mère est toujours vivante.

« Tu n'en parles pas. Surtout pas à ta mère. Quand elle veut, c'est un bulldozer. Elle est forte, elle est ambitieuse, et tu es tout ce qu'elle a au monde. »

Sur la question de l'argent, le prix à payer pour mourir chez Paradis, clef en main, il ne m'a dit que ceci :

« Nous sommes riches par héritage. Nos parents, à ta mère et moi, ont été des promoteurs immobiliers puissants. Quand mon père est mort, quand il s'est tué, ta mère a hérité de tout. Mon père savait que je n'étais pas en mesure de gérer une telle fortune. Puisque ta mère ne s'intéressait pas à l'immobilier, et puisqu'elle voulait surtout s'éloigner du suicide de son propre père, donc de tout ce qui pouvait le représenter, elle a fondé Face the truth.

« Chez Paradis, clef en main, on évalue le prix à payer pour mourir en proportion du salaire, des avoirs. Ils font enquête. Ils savent tout, ils fouillent partout, les dossiers médicaux et criminels ; ils ont le bras long et le bras peut frapper. Des gens sont morts parce qu'ils ont parlé, ou qu'ils allaient le faire. Toi, tu n'as pas à te soucier d'argent. Quand je vais mourir, une somme suffisante sera déposée chez Paradis, clef en main pour couvrir les frais de ton suicide.

« Tu te payes la mort que tu veux, tu t'offres celle dont tu rêves. Ce sera ta dernière réalisation, elle doit être grande, habille-la, déguise-la, montre-toi originale. Amuse-toi. Si tu décides de ne pas mourir, l'argent te sera remis. Mais je ne peux pas te dire quand ni comment. Une fois l'argent rendu, jamais tu ne pourras remettre les pieds chez eux. »

Je ne sais pas pourquoi il ne m'en a jamais parlé, de son choix de mort. Peut-être parce que, pour lui, c'était un détail. Un détail sensationnel.

L'histoire de l'avion jeté dans la gueule du Merapi, on l'a statuée sans aucune preuve concrète. Que sur les dires de ma mère. Même si j'y crois, je ne crois pas ce que j'entends sur Léon, sur l'homme qu'il était. Personne ne le connaissait mieux que moi.

Dans son avion, il y avait forcément le bouton rouge : Léon m'a bien expliqué, avant de mourir, que ce bouton était au centre de tous les scénarios, quels qu'ils soient. C'est ça, la clef du paradis, le bouton qu'on actionne, le détonateur, ce qui enclenche le mécanisme, avec lequel on reste seul, face à la mort, le bouton qui est aussi la dernière présence, la sortie d'urgence, le bouton qui entend les derniers mots : « Mon Dieu, pardonnez-moi », le bouton qui est le dernière visage vu avant le dernier souffle, le nez de clown sadique, facile d'emploi. Le déclencheur de mort, l'ouvreur sur le néant. Ce bouton, une fois qu'on avait appuyé dessus, devait, j'imagine, empêcher la prise de contrôle de l'avion qui a crashé sans retour, fonçant vers l'écrasement ultime, total.

Léon ne m'a pas laissé de lettre, pas un seul mot. À personne il n'a demandé pardon, contrairement à ce que beaucoup font. Ç'aurait été une façon de laisser une part de lui, une parcelle, et il a voulu tout emporter. *Oblivion.*

Des suicides marquants, il y en a eu d'autres. Dont on a parlé. Des suicides épiques ou farfelus. Mais pas du mien. Du moins, pas encore.

LE POKER

Il est midi ou presque. Qu'importe ? On est vendredi. Un jour qui en suit un autre, qui en précède un autre. Un jour qui devrait être comme les autres.

Moustafa miaule en parcourant ma cellule désinfectée garnie de plantes grimpantes, touffues, trop fertiles, sur le point de faire éclater mon mur de brique rouge à force de s'introduire dans les fissures, à forces d'en créer de nouvelles. Moustafa se traîne l'âme en peine dans mon réduit à effet de serre : il a faim, il a soif, il a chaud, il s'enroule en boule sur mon lit, à mes côtés, il change d'idée, il saute du lit pour aller vers son bol vide, il constate le vide incompréhensible, il le renifle, il n'y croit pas, il miaule encore, revient en boule sur mon lit. J'ouvre une fenêtre avec ma voix, il court à la fenêtre, j'ai peur qu'il ait envie de se jeter en bas du quatrième étage, de se suicider, par désorientation trop grande face au manque, à l'absence, comme le font les hommes. Alors je referme la fenêtre.

Avec mes caresses, je tente de le rassasier, d'être sa mère, je miaule avec lui, mais je n'ai pas de lait, je n'ai pas les mots de chat qu'il faut.

Moi aussi j'ai faim, j'ai soif, j'ai chaud, j'ai froid. Je ne sais plus sur quel pied danser. Quels ongles ronger. Des crises de larmes m'arrachent à mon cynisme habituel, à mon confort de dérision.

Ma mère n'est pas venue me visiter hier. Une première depuis ma paraplégie. Une journée d'absence qui me plonge dans l'inconcevable : je voudrais pouvoir sortir de mon lit. Ça y est, je me suis réconciliée avec ma nature grégaire, je suis prête à faire le grand saut de la réinsertion sociale, je suis prête à me jeter dans les bras ouverts du système, parce que, pendant deux jours, un certain nombre d'heures formant un jour qui aurait dû ne pas avoir d'importance, le corps de ma mère n'a pas vécu pour moi. Je veux goûter de nouveau le plaisir d'aller chercher les objets, ce dont j'ai besoin, je veux ne plus avoir à attendre que l'essentiel vienne à moi.

À ce stade-ci de l'indigence, de l'impotence, le regard des autres est nul, malvenu, la perspective d'être vue de haut par les autres ne me donne plus la force, ni même le désir, de redresser la tête pour les injurier. Mes certitudes dégueulent leur trop-plein d'arrogance, de prétention. Je ne sais plus quoi penser, je me trouve faible, je me trouve forte. Je voudrais hurler, vociférer mon humiliation, mon indignation, je voudrais aussi implorer ma mère de me revenir, ne serait-ce que pour me brandir, en effrontée, son indestructibilité. Je voudrais lui hurler que j'ai besoin d'elle, que sans elle je ne suis rien. Moi, sa fille unique, sa fille sans père, sa fille au père congelé dans une fiole.

J'ai peur. Je tente de me convaincre que son absence n'est qu'une tactique, que l'une de ses manières bien à elle de bottage de cul pour me faire tomber du lit, que l'un de ses fouettages de mère Fouettard visant à m'expulser du nid, que l'une de ses habitudes de dressage pour me faire comprendre qu'elle m'est indispensable, que je lui dois tout, la vie et même ma vie après ma mort ratée, encore une. Que toute résistance est futile. La chaise-chiotte roulante est inévitable, autant m'y faire. Je tente de me persuader qu'elle va arriver avec cette chaise roulante qui déménage, qui me déménagera, là, aujourd'hui, tout de suite, je tente de croire qu'elle a dû la ramener de l'étranger, qu'elle a dû prendre l'avion, le temps de m'affamer, le temps d'un jour pour me donner la frousse, pour ensuite me l'offrir sur un plateau d'argent. La chaise roulante, le chemin assis vers la sortie.

Cette conviction ne tient pas, elle n'arrive pas à me consoler, à réaffirmer le rôle que je joue avec elle depuis deux ans, depuis toujours. Elle ne parvient pas à me faire danser cette danse classique, traditionnelle, rigodon de couple siamois, entre elle et moi, celle que nous connaissons si bien, celle que nous dansons au rythme de nos confrontations.

C'est une période de métamorphoses, de grands vents secs et violents de changement. Une traversée du désert. Du côté de ma mère, donc du mien. Par extension. Car depuis quelques semaines, le masque de ma mère est tombé. Ou plutôt, des signes de vieillesse ont commencé à traverser la surface incassable de son visage jusqu'alors épargné, étonnamment préservé. De la fatigue bleue sous ses yeux moins verts, moins frappants, un blanc des yeux jaune, couleur de nicotine, une percée soudaine de cheveux blancs aux tempes, un teint brouillé, non exfolié, des petites taches brunes, un visage qui glisse, qui s'affaisse, qui lui échappe. Qui m'échappe aussi. Un corps amaigri, aspiré par le dedans, comme le mien. Sa voix aussi s'est adoucie. Un adoucissement dû à une économie d'énergie, à un essoufflement qui ralenti le débit des paroles. Ses mots ne sont plus ceux de Dieu la Mère.

Ses yeux nouveaux dans son visage nouveau me regardent, me regardent encore, impuissants, et des larmes sortent des miens à l'improviste, jaillissent sans mon consentement. Je ne comprends pas. Je comprends sans vouloir comprendre, un bogue organique, un défaut de *pattern* imprimé depuis la nuit des temps. Je voudrais garder ma mère inhumaine. Je n'ai même plus mon bouclier de colère pour m'en préserver.

« Qu'y a-t-il, maman ?

— Rien. De la fatigue, rien de plus. Ne t'inquiète pas, Toinette, je suis là. »

Non, ma mère n'est pas là. Je le sens. J'ai moi aussi le sens du *ressenti*. Si elle était là, toute là, j'aurais envie de l'envoyer promener, de lui crier d'aller voir ailleurs si j'y suis. Mais j'ai juste envie qu'elle reste, qu'elle me rassure.

« Ne me mens pas, maman. Tu n'as jamais été fatiguée. Tu n'as jamais fait ton âge. Tu n'as jamais eu de cheveux blancs. Tu es immuable, maman, tu es imputrescible ! »

Elle rit un peu, petit rire de rien, petit rire faiblard devant ma grandiloquence.

« Toi et tes grands mots ! Je ne suis pas immuable. Je ne suis pas immortelle. Je suis encore là, mais je ne le serai pas toujours. Un jour, je vais partir. Je me suis tellement occupée de toi que j'ai oublié de te préparer à ça... au fait que... »

Ma mère tousse. Toussotement impossible pour son corps désincarné et artificiel. Cette impossibilité m'immobilise davantage, je sens ma mère faire des efforts de paroles dont elle est incapable. Je dois dire quelque chose, parler à sa place :

« Tu ne peux pas mourir, maman. C'est moi qui devais mourir. Laisse-moi mourir à ta place ! Oh, maman, je ne veux pas que tu meures avant moi ! »

Ses yeux fatigués me fustigent, renaissent de leurs cendres, se gonflent, force inouïe des gens forts qui tiennent à la vie :

« Cesse de dire ça. Tu me tues, quand tu dis ça. Encore aujourd'hui, tu en parles. Jamais plus je ne veux que tu évoques cette possibilité. Tu as compris ?

Jamais plus. J'en ai marre. Tu me tues, à la fin! Tu m'entends? Tu me tues!»

Je la crois sur parole, je pleure, c'est fini, j'abdique. Le silence s'installe, mes pleurs sont tranquilles, mes sanglots sont inaudibles, je sanglote sur la pointe des pieds, je garde en moi le bruit de ma douleur par crainte de déranger, de lui manger un peu de cette vie à présent menacée.

«Je ne suis pas encore morte, Toinette. J'ai du temps. *Nous* avons du temps. Aujourd'hui, c'est moi qui te demande de m'aider. Il faut que tu ailles mieux. Quand tu iras mieux, j'irai mieux aussi. Un peu mieux, au moins.»

Je pense à Léon qui m'a aidée. Qui ne m'a pas aidée. Léon dont la mort m'a fait mal au-delà de tout, sans mots, sans nom, sans comparaison possible, et dont je ne me suis jamais remise. La perte immense, celle de Léon, va toujours rester en moi, même si je reconnais à son geste une certaine nécessité, un projet ardemment investi entre adultes consentants. *Mourir entre adultes consentants.* C'est une drôle d'idée, une idée effrayante. Jamais je ne pourrais prendre parti, décider qui a raison, qui a tort. Ça, je m'en excuse.

Aujourd'hui, ma mère est malade, je le sais. Je ne sais pas de quoi, de quelle maladie grave, je ne sais pas de quelle mort imminente elle va mourir. Elle est tombée du royaume des créatures célestes pour choir sur le plancher des vaches folles, là où la vie écorche, là où personne n'a la peau épaisse. Ma mère, que je n'ai jamais nommée par son prénom, est devenue une femme, un être sensible et mortel. C'est insupportable.

Il y a deux jours, elle a disposé à côté de mon lit, sur ma table de chevet, un plat de fettucini sauce rosée, une bouteille de vodka, du jus de fruits. Mais l'absorption, même de l'alcool, m'était impossible. Tout était indigeste, sauf la présence de ma mère qui toussait, qui essayait de me dire des choses que je ne voulais pas entendre.

« Je dois te parler, je dois t'avouer des vérités que tu ignores. Pas tout de suite, bientôt. »

Je pleurais, elle toussait. Je ne voulais pas savoir ces vérités-là, je savais d'avance qu'elles me feraient mal. À un moment, ni elle ni moi n'avions plus la force de poursuivre ce face à face de pleurs et de toux. Elle est partie.

Au plafond s'inscrivent toujours mes mots prononcés tout haut qui s'effacent avec le mot « effacer », qui se corrigent avec le mot « corriger ». Il reste trop d'événements importants à relater, à décrire. Mais je pourchasse ma mère dans sa fatigue, dans sa toux, je la traque dans l'obscurité de ce qui lui arrive, sans qu'elle m'y force, et le double miroir, posés face à face, continue d'opérer son emprise. Dans la casse du miroir, l'emprise n'en est que plus grande. Chaque morceau devient un miroir à lui tout seul, il contient à lui tout seul la force d'emprisonnement du miroir intègre, entier.

Je ne crois plus en la caméra au plafond. Elle n'a jamais existé. Je quitte un long voyage d'acide où un système d'idées farfelues m'avait emportée, je débarque d'un bateau que je m'étais moi-même monté. Quelque chose bouleverse mon monde immobile et climatisé. Réglementé, cuisiné, torché, citronné.

En attendant le retour de ma mère — si elle revient —, je dois continuer, finir ce que j'ai commencé. Si elle est morte, et même si elle ne l'est pas, je le lui dois. On a tous une dette. La vie, c'est une longue dette.

* * *

Une semaine avant que la compagnie n'organise mon suicide, j'ai revu le psychiatre.

Cette fois-là, on m'a conduite à un zoo immense et verdoyant, foisonnant d'animaux et de gens, les animaux derrière les barreaux et les gens mangeant de la crème glacée, des frites, des hot-dogs. Avec la même routine de chauffeur invisible, de zigzags à travers la ville, de traversées du pont Champlain, de gaz anesthésiant, de perte de temps pour brouiller les pistes.

Je n'étais jamais allée dans un zoo auparavant, par principe, par désintérêt, parce qu'ils me semblent obscènes dans la domestication à loisir. Comme toutes les fois où je me suis retrouvée dans un endroit choisi par la compagnie, j'ai dû me promener, fouiller, déterrer le psychiatre parmi les gens, les cages malmenées par la force animale soumise aux lois pavloviennes, celles du conditionnement, des récompenses et des punitions ; j'ai dû sillonner les sentiers où une foule de parents paradaient avec leurs enfants, dont une quantité appréciable d'Asiatiques avec leurs appareils photo ; j'ai dû examiner à la loupe la masse indistincte des personnes différentes et à la fois toutes pareilles, un magma qui vaquait à ses occupations : regarder les animaux, s'émerveiller de leur captivité, de leur sauvagerie de carcan, de leur destin emprisonné dans des espaces qui simulent l'espace, s'émouvoir de la liberté de mouvement restreinte, mesurer leur habitat naturel en canne.

Des singes de toutes sortes, des oiseaux multicolores, des perroquets exotiques répétant des mots, *bonjour, comment allez-vous,* des rhinocéros, des lynx, des tigres et leurs petits, des crocodiles, des castors, des lamas, des chameaux, des ours, l'amalgame des bêtes importées pour le plaisir des clients voyeurs en demande de consommation, en attente d'une satisfaction. C'était l'arche de Noé sans la grandeur de l'aventure planétaire, sans le fabuleux du sauvetage de la vie sur Terre.

J'ai observé un long moment deux bébés girafes qui s'appelaient Gino et Estelle. J'ai touché la trompe d'un éléphant, ça m'a un peu écœurée, comme un pénis épais, gris et géant avec une tête chercheuse.

À l'intérieur du zoo, il y avait un site appelé « Mini-Ferme ». C'est drôle, ça. Se rendre dans un zoo pour regarder brouter des vaches, des chèvres, des chevaux, des moutons, des poules, pour entendre couiner des porcs. Il y avait un enclos pour les zèbres, il y en avait un pour les hippopotames et pour les rhinocéros, il y avait un cimetière des éléphants qui consistait en des tas d'os d'éléphants morts, il y avait une grotte à chauves-souris. Un train aérien décrivait un cercle qui surplombait le tout, il opérait un tour perpétuel, donnant une vision d'ensemble du grand marché du bétail enclavé. Il y avait des restos, des manèges, des boutiques, des chiottes. Il y avait trop de gens, trop d'animaux, trop de choses à voir et, comme chaque fois, je ne voyais rien. Tout était nouveau, tout était spécial, mais rien n'était spécialement spécial. Alors je me suis laissé aller à manger des hot-dogs, à boire du Coke, à déguster de la crème glacée, comme tout le monde. J'ai flâné un peu partout en profitant du soleil et, cette fois-là, je ne me suis pas affolée, je n'ai pas couru dans tous les sens. La lenteur et la foi en la providence étaient les meilleures options. Les animaux me faisaient de l'œil, je le leur rendais bien, la vie était presque belle.

Malgré le beau temps et le sentiment général d'allégresse, j'ai fini par trouver le temps long. Les signes, les réponses, les messagers ne se montraient pas comme ils en avaient l'habitude. Pour la première fois, j'ai souhaité qu'apparaisse le caniche miniature, blanc, immaculé et frisé, haïssable, j'aurais voulu l'entendre japper sans fin, chaque jappement comme une pierre blanche jetée par terre par un petit poucet planifiant de rebrousser chemin vers sa maison. De parasite à piquer à mort, il était devenu un passe-droit, un accès rapide vers l'endroit mystérieux où je devais me rendre. J'y suis restée toute la journée, au zoo, encore une fois saisie par le découragement, au bord de laisser tomber. J'ai fait le tour plusieurs fois de tous les sites, enclos, cabanes, installations intérieures, toilettes.

À 22 heures, le zoo a fermé ses portes. Je me suis discrètement éloignée de la sortie où tous se dirigeaient en petits groupes, je pressentais que je ne devais pas quitter les lieux. Je me suis assise entre deux arbres, près d'une poubelle, attendant qu'on me trouve, qu'on me chasse ou qu'on me redirige. Qu'enfin ça finisse.

Dix minutes plus tard, un homme est venu me trouver ; il était habillé en employé de zoo, une casquette bleue sur la tête et une chienne bleue ridicule qui lui saucissonnait le corps, et il était aussi muni d'une lampe de poche.

C'était le psychiatre.

Il a braqué la lampe de poche sur mon visage ébloui, je ne le voyais pas distinctement, qu'une petitesse d'homme en chienne de travail, je ne voyais qu'une lumière aveuglante d'interrogatoire mené d'une main de fer dans une cave obscure.

« Suivez-moi. »

Je me suis levée, je l'ai suivi. On a marché longtemps dans les sentiers artificiellement tortueux, j'avais l'impression qu'on revenait sur nos pas, qu'on tournait en rond en pure perte, je sentais grandir en moi cette lassitude qui vient du fait d'être sans cesse ballottée, et qui s'ajoutait à ma non moins grande lassitude naturelle.

Le psychiatre paraissait encore plus petit que la dernière fois, il semblait moins excité, plus distant, et il était surtout moins bavard, il ne disait rien ou presque, *on est proche, on arrive bientôt, ça ne devrait plus tarder, on n'est plus très loin* : le Grand Schtroumpf qui doit rendre des comptes à ses suiveurs. Il était nerveux, l'air concentré, renfermé, il portait toujours ses fonds de bouteille à triple foyer. Ses yeux étaient plus gros encore que dans mon souvenir, gonflés à bloc, et ils regardaient droit devant, aveugles au reste. Je n'osais pas parler, seulement le suivre, je savais que toute tentative de parole serait vaine, piétinée.

On est arrivés à la hauteur d'une petite cage vide dont la porte était ouverte. À l'intérieur de la cage se trouvait une table de jeu recouverte d'un tapis vert surplombée d'une lampe basse qui l'éclairait et sur laquelle un jeu de cartes et des jetons étaient disposés. Cartes et jetons étaient rouges d'un rouge pompier, criard, et ils arboraient tous le logo de la compagnie. Les jetons n'étaient pas chiffrés comme ils auraient dû l'être, ils ne donnaient à voir que le logo : un bouton rouge à l'intérieur des jetons rouges. L'imparable bouton, celui à atteindre, sur lequel appuyer pour arriver à ses fins.

On n'était pas seuls. Un homme, chapeau melon et complet noir, visage anonyme dans l'ombre du chapeau, se tenait à côté de la table, en croupier témoin et désengagé, les mains croisées derrière le dos. Il nous attendait, il nous a fait signe d'entrer dans la cage d'une main gantée de blanc, il a tiré deux chaises pour nous faire asseoir, moi la première, par étiquette. Il a ensuite verrouillé la cage avec une clef qu'il a placée dans la poche intérieure de son veston.

On était prisonniers de la cage. On était des animaux dans un zoo condamnés à jouer aux cartes.

« Qu'est-ce qu'on fait ici, au juste ? »

Le psychiatre m'a dévisagée un moment, déjà il voulait me lire. Il a tâté la monture énorme de ses lunettes, comme pour voir si elles tenaient en place, avant de lancer :

« On va faire une partie de poker, ma grande. Un duel, si vous préférez.

— Oui, je vois bien, mais pourquoi ? »

Il a souri, pas à moi, mais à lui-même. C'était une question qu'il attendait et il avait une réponse toute prête. Il avait la réponse, celle qui consiste à ne pas répondre.

« Ça, ce n'est pas à moi de vous le dire. Vous devez déduire par vous-même la raison de notre présence ici. »

L'homme au chapeau melon a décidé de l'ordre du jeu : j'étais *small blind*, le psychiatre était *big blind*. Je commençais et ça m'avantageait. Déjà, il brassait les cartes, d'une main leste, experte, et il les a distribuées, *tac, tac, tac, tac.* Ce poker n'était pas réglementaire : en tout il n'y avait que vingt jetons qui s'équivalaient tous en valeur au lieu d'en avoir de différentes. Donc dix jetons chacun. La partie allait être courte, décisive. Sans savoir ce que ce décisif impliquait. Je n'osais pas toucher mes deux cartes, le psychiatre non plus. On n'était pas prêts à ça, à laisser le hasard décider du vainqueur et du vaincu.

« Vous savez, tout est une question de déduction chez l'être humain. C'est d'ailleurs une impasse face aux prétentions de la science qui aimerait que l'induction soit première. »

Le psychiatre affichait un air grave comme s'il était impliqué aussi sérieusement que moi dans cette marche vers la mort. Il portait toujours sa casquette qui le discréditait, qui formait avec ses lunettes un accoutrement déplaisant, déplacé, un chien dans un jeu de quilles. Sa dernière réplique dont je me foutais a été suivie par le meuglement d'une vache qui indiquait qu'on se trouvait à proximité de la « Mini-Ferme ». Les vaches, de toute évidence, ne fermaient pas leurs portes à 22 heures. On pouvait donc avoir droit, pourquoi pas, aux cris mêlés de tous les autres animaux de ferme : cochons et truies, moutons, poules et coqs, chèvres, chevaux. Cette idée m'agaçait, je me suis demandé pourquoi, dans cette histoire, je devais sans cesse avoir affaire avec le règne animal, à commencer par le caniche miniature, surexcité, satanique, dont j'avais guetté l'apparition toute la journée.

J'ai enfin jeté un œil rapide sur mes cartes. J'avais en main une reine de pique et un valet de pique. Ça commençait fort : la *straight* était possible, la *flush* aussi, ainsi que les paires et, pourquoi pas, les triples.

J'ai placé trois jetons au milieu de la table. Le psychiatre m'a suivie en y plaçant deux des siens. J'ai remis quatre jetons, empressée, une erreur quand on souhaite *bluffer*, camoufler son enthousiasme. Je l'ai vu hésiter, je l'ai vu caresser ses jetons, je l'ai vu tenter de me sonder avec ses yeux immenses, fous, circonscrits par ses lunettes démodées, décourageantes.

Il transpirait en cherchant de la main quelque flacon de pilules dans les multiples poches de sa chienne bleue, il tâtait à gauche et à droite la présence d'un médicament qui allait le calmer, et il ne se souvenait plus de son emplacement. Peut-être a-t-il cru qu'il l'avait oublié, son flacon porte-bonheur, à la maison, avec sa femme et sa fille conspiratrices.

L'homme au chapeau est intervenu :

« Les mains restent sur la table. C'est la règle. »

Le psychiatre, des perles de sueur au front, a soulevé sa casquette pour se l'éponger du revers de la main avant de prendre tous ses jetons et de les pousser au milieu de la table, avec le reste du tas :

« *All in !* » qu'il a fait.

Sa fébrilité ne pouvait être simulée, elle n'était pas une stratégie. Je le trouvais trop impétueux, maladroit, j'étais certaine de remporter.

« *All in !* » ai-je fait aussi.

L'homme au chapeau a retourné cinq cartes sur la table verte : un deux de trèfle, un quatre de carreau, un roi de pique, un sept de cœur, un huit de cœur.

Je n'avais rien, pas même une paire, j'étais foutue à moins de remporter la main avec la plus haute carte, la reine de pique, ce qui n'était pas exclu, surtout dans un *heads-up*.

On a montré nos jeux. Le psychiatre avait une reine de cœur et un valet de trèfle. On avait le même jeu. On gagnait tous les deux.

« Ouf, j'ai bien failli "folder". Comme j'aurais eu tort ! »

Il a ri de soulagement. Il avait eu chaud. Comme un accouchement qui se passe mal, qui finit par passer, qui aboutit à un bébé en santé. Ce n'était pas de moi qu'il riait, mais de la chance qu'il avait eue. D'un coup, je l'ai senti plus détendu. Il a ramené ses mains derrière la tête, des mains désinvoltes, sans doute pour m'impressionner.

L'homme au chapeau a réparti les jetons, dix pour moi, dix pour le psychiatre. On repartait à zéro. De mon côté, mon cœur a commencé à cogner, à cogner plus fort, plus fort encore, à me défoncer la poitrine. Je n'entendais plus que ça, mon cœur qui me déman-telait de tout mon long, mon cœur qui me prenait d'assaut, qui me prenait la tête, tandis qu'un autre meuglement de vache a retenti, long et profond, une complainte pénible parce que trop familière que j'ai à peine perçue, en arrière-fond, très loin dans mon esprit sous le choc, implosé. Mon cœur a pris toute la place, je n'étais plus qu'un tambour, la caisse de résonance d'un organe vital qui prenait le contrôle.

Je venais de comprendre. Je venais de déduire de la partie de poker son but ultime : je jouais ma mort. Si je perdais, je ne mourrais pas. Après tous mes efforts, après toutes ces tractations, cette attente, ces manipulations, je serais éjectée de Paradis, clef en main. Il n'en était pas question.

Le psychiatre était louche, on aurait dit qu'il n'était pas là pour moi, qu'il jouait pour une raison qui m'était cachée et que son jeu ne me regardait pas. Il y avait deux explications à son comportement : ou il jouait gros lui aussi, peut-être tout ce qu'il possédait au monde, ou encore il était un comédien hors pair.

Les deux explications m'embêtaient, elles étaient à la fois possibles et improbables, elles s'opposaient, elles revenaient au même. Se tenait devant moi un rival qui était, comme moi, désespéré de remporter la victoire. Qu'il soit ou non acteur, qu'il soit ou non l'expert en cerveaux de la compagnie jouant son rôle à fond pour me confondre, qu'il soit ou non un athlète performant pour sa propre victoire, ne changeait rien : je me battais pour mourir.

L'homme au chapeau a repris les cartes, il les a brassées expertement, sans emphase, sans mollesse, le visage toujours dans l'ombre, toujours anonyme, neutre, sans émoi. J'étais *big blind*, le psychiatre était *small blind*. Cette fois-ci, c'est lui qui avait l'avantage. *Tac, tac, tac, tac.* Les cartes étaient distribuées, les dés, jetés.

J'ai posé les mains sur mes cartes, je priais pour que l'énergie de mes mains influe sur leur valeur, les fasse grimper sur l'échelle des bonnes cartes. Je savais que mes mains n'y pouvaient rien, mais je les imaginais magiques, je sentais leur magnétisme capable de transformer les chiffres en d'autres chiffres, de changer les cartes bonnes à jeter en figures, en paire d'as. De changer l'eau en vin.

Des larmes, encore, m'ont empli les yeux fatigués, déshydratés. Comme j'étais braillarde, même sans eau apportée au moulin. Comme j'étais fragile. Je braillais l'injustice, mon impuissance, je braillais la mort retirée comme une carotte sous le nez, je braillais les animaux, le monde entier.

Le psychiatre était vert. Il tremblait de partout. On avait peur comme des cons, tous les deux trop sérieux, on était terrifiés à l'idée de regarder notre propre jeu.

À ce moment, j'ai abdiqué, j'ai abandonné la partie, celle de la compagnie, de son entreprise. Advienne que pourra. Je mourrai, ou je vivrai. Ma vie comme ma mort ne m'appartenaient pas, elles ne m'avaient jamais appartenu. Ces choses-là, la vie et la mort, n'appartenaient à personne, nous échappaient à tous, et à jamais. La compagnie n'était qu'un semblant de pourvoyeur de produits et services. C'était le terrain de jeu d'un fou dangereux.

J'ai regardé mes cartes. J'avais deux deux, l'un de trèfle et l'autre de pique. J'avais la plus petite paire existante sur la planète. J'ai baissé les yeux, des larmes ont coulé sur mes joues, j'ai laissé voir ma déception, ma détresse, qui indiquait au psychiatre que j'avais compris la raison du *heads-up*, que je l'avais *déduite*. Il a enfin regardé les siennes, du bout des yeux, qu'il avait plus que jamais énormes. Il a émis un jappement de surprise : il était content, il était ravi, il n'en finissait pas de le montrer, de se laisser aller à la joie, à l'exultation. Je me suis dit : « Ce n'est pas un bon joueur de poker », et ma panique s'en est trouvée que plus grande, entre autres parce que j'étais aussi une piètre joueuse.

« *All in !* » a-t-il crié.

Un troisième meuglement a répondu à son cri, comme pour lui dire de se la fermer, comme pour lui rappeler qu'il était tard, qu'il était l'heure d'aller se coucher. Il a poussé tous ses jetons au milieu de la table. Il me regardait, défiant, cruellement souriant. J'avais le choix de ne pas le suivre. J'avais le choix de « folder », de ne perdre que deux jetons et de me reprendre dans une troisième main. Mais j'en avais assez. Je n'en pouvais plus. Rien ne se passait comme je le voulais, rien n'allait jamais dans mon sens, je n'étais pas à la hauteur, je n'avais plus la force de me battre, de continuer à jouer. J'avais envie de meugler moi aussi, de me traîner à quatre pattes autour de la table, je voulais devenir une vache, être une bête, la plus bête des bêtes, ne plus jamais penser à rien.

« *All in* », ai-je fait en poussant à mon tour mes jetons au milieu de la table pour les mélanger avec les siens. Jetons-boutons rouges réunis, confondus.

Mon geste l'a ébranlé. C'était plus que ce à quoi il s'attendait. Un doute a traversé son regard pour se résorber aussitôt.

L'homme au chapeau a dévoilé les trois premières cartes : un roi de carreau, un sept de cœur, un as de carreau. Dès la première carte, le psychiatre ne se contenait plus, il jubilait, il se soulageait devant moi, il s'oubliait, la certitude de la victoire lui faisait perdre toute contenance. Moi non plus, je n'avais plus de stratégie, de dignité, je pleurais à chaudes larmes, mes épaulent tressautaient, et je pensais : « Mon Dieu, Mon Dieu, je vais survivre à cause de deux deux, je ne peux pas le croire ! »

Le psychiatre et moi, on était les deux masques inversés d'un théâtre, l'un hilare et l'autre grimaçant, plongeant vers le bas, une coulure.

Les deux dernières cartes dévoilées ont tout changé, un retour du balancier : un deux de carreau, un deux de cœur. Je n'en croyais pas mes yeux, que j'essuyais pour mieux voir le miracle sur la table. J'avais quatre deux en main, j'avais tous les deux possibles. J'avais tous les deux du monde.

D'un geste violent, j'ai rabattu mon jeu sur la table, *tiens, prends ça*, je savais que je remportais la main, que rien ne pouvait me battre compte tenu de ce qu'il y avait sur la table, des cartes ouvertes, compte tenu de ce que le psychiatre pouvait avoir dans son jeu. Quand le psychiatre l'a vu, mon jeu de minable, ma petite paire de deux rabattue avec force sur le tapis vert, il n'a pas réagi, il a continué à rire, à rire encore, puis son rire a soupiré, expiré : le psychiatre a fait le lien entre mon jeu et celui qui se trouvait sur la table, il ne s'était pas rendu compte de la présence d'une seconde paire de deux et à présent il s'en rendait compte, alors son rire s'est cassé, il s'est interrompu, son rire s'est arrêté pendant quelques secondes pour se muer en hurlement :

« J'ai trois rois ! Deux rois avec le roi sur la table ! J'ai trois rois ! Des rois ! Trois rois ! Trois rois ! Trois rois ! »

Il s'est levé de sa chaise qu'il a fait tomber, il a martelé le sol de ses pieds comme un enfant qui a envie d'uriner, en hurlant « Trois rois ! Trois rois ! Trois rois ! » ; il a tourné sur lui-même, toujours en martelant le sol de ses pieds, sa casquette et ses fonds de bouteille achevant de lui donner l'allure d'un aliéné, d'un fou à lier gravement atteint, irrécupérable.

C'en était trop pour lui, et aussi pour la Mini-Ferme : une dizaine de vaches se sont mises à meugler en même temps, toutes les vaches disponibles sur le terrain se sont donné le mot pour meugler en chœur avec le psychiatre et l'accompagner dans sa défaite, ou encore la réprouver. On ne le saura jamais si elles étaient désolées ou contrariées. Le meuglement collectif des vaches, en effet dominos, en effet boules de quilles, a alerté les animaux environnants. Tout le bétail s'est levé d'un coup. C'était du jamais vu, cette coalition animale, cette rébellion de leur règne. Une tempête se préparait, il leur fallait décamper, ça allait ruer dans les brancards.

Un coq s'est réveillé, il a lancé son *cocorico* comme devant un soleil levant ; les moutons l'ont suivi, puis les chèvres, puis les chevaux. En un rien de temps, un tintamarre de cris de bêtes nous a enterrés, a empêché toute pensée ou geste, mais le psychiatre s'en fichait, il a continué à hurler dans le déchargement de cris sauvages.

L'homme au chapeau a sorti d'une poche la clef de la porte de la cage, il l'a déverrouillée, il l'a ouverte. Au même moment sont entrés une douzaine d'hommes à chapeau melon, une nuée de costumes identiques a envahi la cage et m'a contournée sans m'accorder d'attention, comme si j'étais un meuble, pour s'emparer du psychiatre et l'immobiliser.

Les chapeaux melons l'ont soulevé par les bras et par les jambes, les mains gantées se sont saisies de lui pour le contenir et le transporter, et il se débattait, il hurlait en vain car perdu dans le déluge de cris des bêtes, il donnait du fil à retordre au groupe de chapeaux melon qui a fini par l'extirper de la cage, par l'éloigner, par le faire disparaître.

Les bêtes se sont calmées d'un coup : la menace de tempête s'était éteinte. Dans cette folie de brusquerie et de bruit, j'avais oublié que le croupier était resté avec moi, l'homme au visage dans l'ombre du chapeau.

Il s'est approché de moi, j'ai eu peur qu'il veuille se mesurer à moi au poker. J'ai eu peur qu'il veuille me faire des attouchements, des caresses déplacées, une pensée bizarre qui m'était normalement étrangère. Il a plutôt soulevé son chapeau, et je l'ai reconnu.

Je l'avais déjà vu deux fois.

C'était monsieur Paradis.

Il m'a tendu la main que j'ai serrée, comme un robot ; j'étais en état de choc, bouche ouverte, kidnappée. Un rapt.

« Mes félicitations. Vous avez gagné. Vous avez surmonté avec succès votre dernière épreuve. »

J'étais trop fatiguée pour réagir. Mais à l'intérieur, c'était toujours la tempête, les vaches meuglaient toujours, je ne savais pas si je devais être honorée ou me sentir menacée. Cet homme était une célébrité, mais personne n'était censé le côtoyer. Il n'existait pas en vrai, seulement dans les esprits, seulement à distance. Si j'avais pu détailler ses portraits à deux reprises auparavant, si j'avais pu le regarder dans les yeux alors que ces yeux-là ne me voyaient pas, parce qu'ils étaient faits de peinture, à ce moment-là, dans la cage, je n'y arrivais pas. Je savais que leur force d'attraction aurait pu me jeter en transe, m'hypnotiser, me faire verser dans des sensations dont je n'étais plus capable. J'ai préféré regarder par terre.

« À présent, dites-moi comment vous voulez mourir. »

Je ne savais même plus si je voulais mourir. Mais je m'étais rendue trop loin. J'ai lancé à brûle-pourpoint, à la fois parce que j'y avais déjà pensé souvent, aussi parce que je voulais m'en débarrasser :

« Guillotinée. »

« Une exécution ? Comme Marie-Antoinette ? Bonne idée ! »

Un long silence a suivi où je me suis sentie examinée. Surtout, ne rien dire, ne pas le regarder dans les yeux, faire acte d'humilité, se laisser faire. Monsieur Paradis a fini par parler :

« Dans une semaine très exactement, vous serez convoquée, pour la dernière fois. Vous pouvez partir, votre chauffeur vous attend à l'entrée du zoo. Heureux de vous avoir rencontrée. »

Il m'a tourné le dos et a pris la porte. J'allais me lever quand je l'ai vu se retourner vers moi, juste à temps pour baisser les yeux, pour me prosterner, pour échapper à son regard.

« Je ne vous souhaite pas bonne chance. Je ne vous souhaite pas une bonne continuation. Vous n'en avez plus besoin. »

Il est parti. Je ne l'ai plus jamais revu.

Je ne me souviens pas du chemin du retour, seulement d'avoir entendu un dernier *cocorico* qui correspondait peut-être, je ne sais plus, au lever du jour.

* * *

LA GUILLOTINE

MA MÈRE EST REVENUE CE MATIN. Deux jours sans la voir, sans l'avoir, deux jours à prier un dieu imprécis, malin génie, pour qu'elle ne soit pas morte, pour entendre à nouveau le claquement de ses talons dans le couloir, puis le grincement de la porte qui s'ouvre, son visage à ma rencontre, son sourire, son explication. Qu'elle me dise : « Ce n'était qu'un sale virus. Un rhume des foins. J'ai pris un sirop pour la toux, des antihistaminiques, j'ai pris des antibiotiques, je suis guérie. »

J'ai prié en vain. Tromper l'attente, combler le vide : l'essence même de la prière.

Quand elle est arrivée, elle n'avait pas de chaise roulante à m'offrir. Elle n'était pas partie à l'étranger. Elle ne voulait pas me donner une leçon d'humilité. Elle ne voulait pas me faire peur. Pendant ces deux jours-là, elle a été hospitalisée. On l'a forcée, elle ne voulait pas y aller, comme toujours elle voulait s'occuper de tout, faire à la place des autres la tâche des autres. Se soigner elle-même. Tout prendre en charge, même sa propre débarque.

On a voulu envoyer un infirmier pour qu'il s'occupe de moi mais elle a refusé : « C'est moi qui irai. » On a voulu me prévenir de son hospitalisation mais elle a refusé : « C'est moi qui la préviendrai. » Ma mère, c'est une femme qui refuse. On l'a attachée, elle ne voulait pas rester malgré la nécessité de soins d'urgence, et on l'a finalement relâchée quand elle a lancé ses premières menaces de poursuite.

La première chose que j'ai vue quand elle est entrée, c'est un immense bouquet de fleurs. Des tulipes de toutes les couleurs, leurs têtes fermées ou entrouvertes dans tous les sens. Son visage était caché derrière, je savais que c'était elle — qui d'autre ? —, ma faim et ma soif étaient déjà assouvis, comme pour une héroïnomane qui enfin trouve son *dealer*, argent en poche. Le corps est soulagé à la seule pensée du soulagement tout proche, à portée de main. Devant la substance vitale devenue accessible, le corps se dit : cesse de crier.

« Maman ? Comme tu m'as fait peur ! Je suis contente que tu sois là, enfin ! Qu'est-ce qui s'est passé ? Je pense que Moustafa est mort, je ne le vois plus depuis hier soir. »

Le bouquet s'est avancé vers moi, puis ma mère l'a posé sur ma table de chevet. J'ai vu son visage, mon cœur s'est serré, cœur astringent, cœur de pomme brun et pourri lancé dans une ruelle, atrophié, oxydé.

Comme avec Léon, le jour du chandail jaune, le jour où, pour la première fois, on s'est parlé, lui et moi, ma mère s'est éloignée de moi à toute vitesse, sans même bouger, elle est partie à reculons comme sur des roulettes, terrible et fluide, ou alors c'est moi qui me suis éloignée, qui suis rentrée dans le mur derrière, enfoncée, expulsée de la scène. Moi aussi, je suis une femme qui refuse.

Tous ses cheveux sont blancs, maintenant. D'un coup, ils sont devenus blancs. Ils ont perdu leur couleur chaude, foncée, comme ça, sans transition, sans préparation, sans autre forme de procès, comme à la suite d'une expérience limite, d'une peur terrible devant un fantôme, une manifestation démoniaque, un danger de mort subite, une perte insurmontable.

Elle avait les cheveux blancs de l'insoutenable.

Ce n'était qu'un détail, le plus visible, mais d'autres changements avaient eu lieu chez elle. Ma mère avait les cheveux blancs et secs, ses yeux verts étaient cernés, le blanc de ses yeux était jaune, ses cernes descendaient loin sur ses joues, sa peau était recouverte de nombreuses taches brunes, ses mains également tachetées tremblaient en posant le bouquet de fleurs. Son corps comme une poupée russe sortie de sa matrice, son corps comme une poupée écaillée découverte, posée à côté de son contenant, le corps d'avant, plus gros, plus fort.

Ma mère meurt et c'est elle qui m'apporte des fleurs. Je me sens triste, honteuse. Je m'en veux d'être sa fille, elle aurait mérité mieux, une fille bien vivante qui laisse les autres vivre aussi.

Elle s'est assise sur le lit. Je ne pouvais pas pleurer, j'étais encore en train de vouloir reprendre le contrôle du volant lors d'un face à face dans la voie de dépassement. J'étais dans l'accident qui m'arrivait, qui n'arrêtait pas d'arriver, qui n'en finissait pas de me rentrer dedans.

« Je t'ai apporté de la nourriture, de l'eau, de l'alcool aussi. Ce n'est pas bon pour toi, mais tu es une adulte. Tu fais tes propres choix. »

Un miaulement faible, presque rien, nous est parvenu du fond de la chambre. C'était Moustafa, toujours vivant, mais à peine. Ma mère s'est levée, l'a nourri, l'a fait boire. Ces trois gestes ont duré une éternité, sa poigne habituelle avait perdu de sa force, elle semblait hésiter devant les objets, ne plus savoir les manier. Ma mère est désormais une vieille femme, une arrière-grand-mère, la petite fille d'une époque lointaine.

« Qu'est-ce que tu as, maman ? »

Elle s'est assise, m'a pris la main d'une main tremblante et parsemée de taches brunes.

« Toinette, il ne me reste que peu de temps à vivre. On ne peut dire combien. Peut-être un mois, une semaine. Ou quelques jours.

— Mais qu'est-ce que tu as ? Tu me l'as caché, que tu étais malade, que tu allais mourir, pendant longtemps, c'est ça ? »

Les yeux méconnaissables de ma mère regardaient ailleurs. Je la sentais gênée, embarrassée d'être à ce point détériorée. C'est une femme fière et riche, ça lui prend tout son petit change pour se montrer dans cet état, pour s'avouer vaincue. Toute sa vie, elle l'a vouée à la beauté, à la jeunesse, en vraie femme d'affaires convaincue. Face the truth, sa célèbre ligne de produits de beauté, une marque au nom ambigu, à double sens, un beau nom, une belle marque, d'une certaine manière.

Ce matin, je n'étais pas en mesure d'en apprécier l'ironie.

« C'est le médicament contre les cheveux blancs, entre autres, qui m'a rendue malade. J'ai dû cesser de tous les prendre, je n'en prends plus depuis quelques semaines, mais les dommages sont irréparables. Mes cellules ont été affectées, elles dégénèrent plus vite qu'elles ne le devraient et meurent en plus grand nombre. Mon foie et mes poumons sont particulièrement atteints.

— Le Dragonax? C'est ça qui t'a rendue malade?

— Ça et d'autres médicaments censés réinstaurer le collagène naturel de la peau, que j'ai commencé à prendre l'an passé. Quelle connerie! »

Petit rire d'elle-même, suivi d'une toux. Ma mère s'est tournée vers moi, puis s'est détournée. Abdication d'une femme qui se rend compte que, toute sa vie, elle a fait fausse route. Elle a toussé, longtemps, elle voulait continuer de parler, je lui faisais signe de laisser tomber, elle s'est obstinée:

« En arrêtant le temps, le corps emmagasine les années qu'il ne vit pas. Un jour, il casse et toutes les années sortent d'un coup. Les années ne sont pas annulées, elles ne font que se presser contre la porte que les traitements tiennent fermées. Une fois sorties, elles se vengent de n'avoir pas eu droit de cité. Une fois que cède la digue chimique, elles affluent, elles rattrapent le temps perdu. »

J'étais muette, je comprenais, tout ça avait du sens, mais c'était ma mère. Sa maladie, son mal, son visage en morceaux venaient de sa propre création. Dans sa vie, elle avait pris la voie de sa perte.

Ma mère morte, une image impossible. J'aurais voulu la prendre dans mes bras, l'allonger à ma place, dans mon lit, lui faire à manger, la langer.

« Des cas semblables ont été recensés cette année. Assez pour que les médicaments soient retirés du marché. Bientôt. Pour moi, il est trop tard. »

Miaulement de Moustafa qui veut nous retrouver, se tailler une place entre nous, sur le lit. Ma mère le prend, l'installe. D'un coup rassuré, il s'endort dans son ronronnement.

« Maman ?
— Oui ?
— Peux-tu rester avec moi aujourd'hui ?
— Oui, bien sûr. Bien sûr que je peux rester avec toi. »

Ma mère ne me regardait toujours pas, elle regardait plutôt ma main qui tenait la sienne, elle constatait leur différence d'âge. Si j'avais pu, je lui aurais donné quelques années de ma propre jeunesse, même si elle est éteinte du bas, pour me rapprocher d'elle.

Je ne lui ai pas demandé pourquoi elle ne veut pas se faire soigner. Je ne lui ai pas demandé pourquoi elle préfère se laisser mourir : je sais que jamais elle ne tolérerait que perdure la dégradation de son corps, de perdurer elle-même dans cette dégradation.

« Maman ?

— Quoi ?

— L'autre jour, tu as dit que tu avais des choses à m'apprendre, que j'ignorais.

— J'ai des choses à t'apprendre, mais pas tout de suite. Pas aujourd'hui. »

Ma mère me regarde, j'ai mal pour elle. D'une certaine manière, je la trouve plus belle ainsi. C'est cruel à dire, c'est facile d'aimer les malades. Je déteste la pitié que je peux avoir pour elle, involontaire, qui est la même que je vois dans les yeux des autres sur moi.

« Si tu veux m'aider, tu sais ce que tu dois faire.

— Oui, je sais. »

* * *

Ma mère va bientôt mourir et moi, j'ai enfin envie de vivre. C'est un cadeau que je lui fais. C'est classique, et c'est bête. Ma dette n'est pas honorée, pas encore, je dois continuer à parler, à raconter. Il ne reste pas grand-chose à dire, de toute façon.

La semaine qui a suivi la partie de poker n'a pas existé. Le monde était irréel, en sourdine. Les noms des gens, des rues, le mien, ne voulaient plus rien dire. Avoir faim était absurde. Me brosser les dents était saugrenu. Le seul événement qui m'ait marquée, la seule chose qui m'ait fait réagir, c'est la nouvelle de la mort du psychiatre. C'est passé aux manchettes, à la une. Il avait tué sa femme et sa fille dans un moment de folie, avec un fusil, avant de retourner l'arme contre lui. *Retourner l'arme contre lui.* Une drôle d'expression. La politesse de l'information, les gants blancs journalistiques. C'est toujours de cette façon-là qu'on parle des assassins, des fous, des malades, comme si le tueur, en s'assassinant lui-même, devenait une victime au même titre que les autres. Cette mort m'a marquée parce que je connaissais le psychiatre, mais aussi parce que j'y avais contribué, même si c'était malgré moi. D'une certaine manière, je l'ai tué en gagnant la partie. Si je n'avais pas gagné, je me demande ce qu'il serait advenu de lui. Je parie qu'il se serait tué quand même, mais avec l'aide de la compagnie. Je parie qu'il y tenait, à son scénario, à son passage remarqué, à sa trace laissée dans les annales de Paradis, clef en main. Je parie que, ce soir-là, il jouait, tout comme moi, sa propre mort.

D'autres cas sont parfois relatés dans la presse. Que des histoires de fous, des tragédies à dormir debout. Les sources ne sont jamais sûres et l'extravagance des faits rapportés a toujours l'avantage de décourager tout le monde, même les crédules. Certains candidats de Paradis, clef en main qui auraient échoué leurs épreuves et dont la candidature aurait été rejetée se seraient tués par eux-mêmes, tout de suite après, parfois le jour même, parce que c'était là leur but, mais surtout pour envoyer un message à la compagnie, se venger d'elle, lui faire un pied de nez. Je n'en doute pas, qu'on puisse faire ça.

Une femme, entre autres, se serait vu refuser les services de la compagnie parce qu'elle était enceinte.

« Nous ne travaillons pas avec les femmes enceintes »,
qu'ils lui auraient dit. « Ce n'est pas parce que je suis
enceinte que je ne veux pas mourir. Ce bébé, il
mourra de toute façon, que je sois vivante ou non.
S'il vivait, il charrierait dans sa propre vie la chair
moribonde qui lui a fait voir le jour. Faisons donc
d'une pierre deux coups », qu'elle leur aurait répondu.
« Nous ne travaillons pas avec les femmes enceintes », qu'ils lui auraient répété.

Son mari travaillait pour l'armée canadienne, il
voyageait beaucoup, chez lui se trouvaient des armes,
grosses et petites, de toutes sortes, des armes automatiques, des bombes, du pas net, de l'illégal. Ça, c'est
prouvé. Un jour, la femme a pris une grenade, l'a
insérée dans son vagin à l'aide d'un lubrifiant gras
avant de la dégoupiller, de faire exploser sa vie ensanglantée sur les murs de sa chambre à coucher, de
réduire en miettes le bébé dont elle ne voulait pas qu'il
ait la charge de l'avoir comme mère. Ça, c'est vérifiable
et, juste ça, c'était assez pour faire parler les bulletins de
nouvelles et les journaux pendant des mois. Il y a plus :
elle aurait aussi écrit, avant de passer à l'acte, un long
commentaire sur un blogue qui aurait tout de suite
été retiré, radié de la surface du cyberespace, et qui
racontait son histoire. Après avoir décrit la manière
dont elle serait entrée en contact avec la compagnie,
les arguments qu'ils lui auraient servis pour rejeter sa
demande, elle aurait conclu sur ça, une remarque qui
aujourd'hui me laisse encore sans voix : « C'est quand
même vous qui m'avez tuée, et je veux que tout le
monde le sache. » C'est ce qu'on a dit.

Je pense que cette histoire est vraie.

Laissons la femme au vagin explosé. Laissons le psychiatre. Qu'il repose en paix. Qu'il se mesure à Dieu au poker.

La semaine d'attente dans les couloirs de la mort, façon de parler, a été aussi vide, aussi improductive qu'intense. J'étais dans un état intermédiaire entre la vie et l'état végétatif. Congelée. De suicidaire, j'étais passée à condamnée à mort. Je voyais les gens et les choses pour la dernière fois ; j'aurais dû en être avide, de toutes ces beautés qui m'entouraient, montrer plus d'acuité, être plus alerte, être hypersensible, mais je ne voyais rien, je n'entendais rien, rien n'entrait ni ne sortait de moi. J'étais un bocal scellé sous vide.

Chaque personne que je rencontrais, chaque conversation où je m'impliquais, était faite de ouate, entourée de ouate, j'étais dans la ouate, j'étais *de* la ouate, autour de moi se dressait un mur de ouate, une épaisseur de ouate qui tempérait le monde, qui m'empêchait de voir et d'entendre. Comme Charlie Brown devant sa maîtresse d'école. Que du bruit. Les mots n'avaient plus de sens. Ce n'était plus que du bruit. Ma mère me parlait, elle m'annonçait qu'elle avait l'intention de refaire la décoration de la salle à manger, elle m'entretenait sur les rénovations de la salle de bain, la peinture, le sablage, mais rien de tout ça n'avait de sens.

C'était du bruit.

Je tentais de regarder un film, je voyais ma tête tomber. Je voulais lire un roman, je lisais ma tête sur le plancher, séparée de mon corps, les yeux ouverts qui me regardaient dans les yeux, accusateurs. J'allais marcher dehors, dans la fraîcheur de l'automne qui tirait à sa fin, pour passer le temps, pour ne pas devenir folle, et je marchais vers l'échafaud. Je prenais la peine de faire des activités, je me donnais la peine de mort.

Aucun moyen de revenir en arrière.

Mon arrêt de mort était signé.

Cent fois, j'ai failli tout raconter à ma mère, mais la promesse que j'avais faite à Léon m'en a empêché.

Et puis, à cette mort, j'y avais travaillé fort. J'avais couru après. Je savais qu'il ne dépendait que de moi pour faire demi-tour et aller de l'avant dans la vie; je savais que je pouvais reculer à n'importe quel moment, sans recevoir d'autre sanction que celle de ne pas mourir. Que je pouvais, alors que tout était en place, alors que tout avait été préparé avec minutie, efficacité, dans un souci esthétique, choisir de ne pas toucher au bouton rouge. Je savais aussi, par mon oncle Léon, que je disposais d'une heure pour appuyer dessus, après quoi le bouton se désactivait pour de bon. Une heure était la durée limite de l'hésitation. Ensuite, les hésitants étaient relâchés dans la nature. Si ces hésitants parlaient, une fois dans la nature, ce qu'ils avaient à dire semblait si absurde qu'on ne les croyait pas. S'ils en disaient trop, ou s'ils approchaient trop de la vérité, souvent, ils mouraient *accidentellement*.

Je me rendais de plus en plus compte du caractère crapuleux, sous couvert idéologique, de la compagnie, de sa mission. Je n'avais plus envie de mourir, mais je n'avais pas non plus envie de ne pas mourir. Avoir envie de quelque chose n'existait plus.

La nature humaine est mal faite. Elle joue au chat et à la souris. Aussitôt l'objet convoité obtenu, l'objet perd son intérêt. Maintenant que j'avais la certitude que j'allais mourir, ma mort me semblait superfétatoire. C'est un paradoxe que j'ai essayé de résoudre : la corrosion d'être au monde, cette démangeaison de la vie à quitter à la hâte, était disparue du fait que j'allais mourir ; or, si je n'avais pas su que je mourrais bientôt, quelques jours plus tard, elle y aurait toujours été, cette déception insurmontable d'être là, au cœur de l'humanité, comme elle l'avait toujours été.

Je ne devais pas me laisser duper par le soulagement temporaire de la tourmente qui m'accompagnait à chaque instant. Je devais me souvenir de ce que c'était que vivre, quand on a la vie devant soi.

La nuit, je n'arrivais pas à dormir. Quand je m'endormais, je rêvais que je mourais et ma mort me sortait du sommeil. Elle me réveillait. Un cul-de-sac. Comme si la mort à venir était un cancer généralisé de l'esprit. Sortir des sentiers battus de mes obsessions, m'évader dans quelque rêverie, était impensable. Tous les chemins menaient à ma mort, à ma Rome en flammes, incendiée, tous les conduits s'y rendaient comme ils s'y étaient rendus toute ma vie, avec encore plus d'intensité, d'urgence.

Il n'y avait plus de place pour rien d'autre, même pour l'impatience, la hâte, la satisfaction du devoir accompli. Ou la peur, le regret, la colère. J'ai pensé fuir, j'ai pensé me tuer avant, pour en finir avant la fin, mais la panique m'abrutissait. C'est peut-être normal.

Cette semaine-là, je me l'étais promis, j'allais écrire mes lettres d'adieu. Il fallait que je dise au revoir en bonne et due forme. J'avais appris que la compagnie pouvait les écrire à ma place, ces lettres ; j'avais reçu un message étonnant, ou indécent, selon le point de vue, le lendemain de la partie de poker :

C'est bientôt le jour de votre dernière convocation. Paradis, clef en main vous offre le forfait « Lettres d'adieux ». Si vous le souhaitez, nous vous ferons parvenir notre catalogue de modèles de lettres, parmi lesquels vous pourrez choisir ceux qui vous conviennent, à vous-même, aux uns et aux autres de vos proches.

Ça m'a fait sourire, ce suicide de luxe, cette paresse épistolaire devant la mort, cette prise en charge modélisée. C'est vrai, au fond, que toutes les lettres de suicide se ressemblent : accusations, demandes de pardon, explications, aveux d'impuissance, de souffrances insupportables. J'ai bien failli réclamer leur catalogue, par curiosité, mais je me suis abstenue. C'est peut-être en concluant que je refusais leurs lettres qu'ils m'ont envoyé un autre message, le surlendemain, plus déconcertant encore :

C'est bientôt le jour de votre dernière convocation. Paradis, clef en main vous offre le service « Correction de lettres d'adieux ». Si vous le souhaitez, faites-nous parvenir vos derniers mots et nous vous les renverrons

*dans les 48 heures, revus et corrigés. Ne laissez pas à vos
proches l'image d'un(e) illettré(e) en nous laissant
trouver pour vous une manière élégante et sans fautes
de livrer votre ultime message.*

J'étais suicidaire, paumée, mais pas illettrée. D'ailleurs,
il n'y avait que ma mère à qui faire mes adieux. Léon
était mort. Mes amis étaient des connaissances, d'anciens collègues, des voisins aux bonjours contraints
dans l'ascenseur. Du décorum. Leur écrire aurait été
difficile parce que je n'aurais pas su quoi leur dire,
sinon que je ne m'étais pas intéressée à eux, que
j'aurais bien voulu le regretter, de ne pas m'y être
intéressée, mais que je n'en avais pas les moyens, que
je n'avais pas les moyens de rien du tout, surtout pas
ceux de la vie, sinon que je n'appartenais pas à leur
espèce. Je ne savais pas s'ils allaient souffrir de ma
mort qui sans doute leur passerait sous le nez sans
qu'ils ne la sentent. Ou ils la sentiraient, ils se di-
raient en eux-mêmes : « Elle avait peut-être de
longues jambes, mais c'était une *freak*. »

Puis, ils m'oublieraient.

J'ai écrit une lettre à ma mère, cruelle, qu'elle n'a
jamais lue. J'allais la laisser sur son lit mais, au
dernier moment, je l'ai déchirée, j'en ai jeté les morceaux au vent par la fenêtre de ma chambre d'enfant,
des morceaux sans doute arrêtés par le mur en
brique grise, avant de quitter la maison.

Maman, je ne t'ai rien demandé.

Dans le futur, peut-être que la technologie permettra de mesurer le désir de vivre des enfants avant leur naissance. Peut-être qu'elle pourra repérer les anomalies de l'âme comme on repère des handicaps lourds qui pourrissent la vie de tout le monde. Peut-être qu'en les tuant à temps, avant qu'ils ne naissent, les mères du futur sauveront des vies.

Je m'excuse d'avoir été la fille que j'ai été, je te pardonne de m'avoir fait naître.

Ta fille Antoinette

Le jour de ma dernière convocation, je m'étais moi-même anesthésiée. Je m'étais bourrée d'anxiolytiques. J'ai dû me rendre dans le stationnement, au deuxième étage, toujours le même. Cette fois-là, je n'ai pas été gazée. J'ai tout vu du chemin qui me menait à l'échafaud, mais ce chemin était de la ouate, il n'était pas fait pour être regardé, ni même vu, ce n'était qu'un couloir, un lieu de passage sans autre fonction que celle d'être un lieu de passage. J'aurais pu survoler les Alpes que les Alpes n'auraient rien changé à la ouate. Les splendeurs de la nature étaient, elles aussi, du bruit.

Je ne voyais rien et le voyage a été long. J'étais dans un état catatonique, dans un vide, dans du rien. Chimiquement en paix, sans une once de vraie paix. J'attendais le soulagement et il n'est pas venu. J'attendais quelque chose et rien ne se passait. Il me manquait de tout, alors que le plus important se produisait. On a roulé des heures, on s'est rendus au plus creux des Cantons de l'Est. J'ai vu passer Bromont, Granby, Eastman, Magog, Sherbrooke, Ascot Corner, East Angus, Gould, Lac-Mégantic, Marsboro, Piopolis. À mesure que la route n'en finissait pas, à mesure que cette route s'enlisait dans la campagne, devenait une succession de trous, se détériorait en chemins de terre raboteux, presque en sentiers, à mesure que défilaient les villages fantômes, inconnus, délabrés et à force de brassage, de cahots, de côtes à monter et à descendre, le temps passait, l'effet des anxiolytiques s'estompait.

J'étais à jeun, inopinément sobre, j'étais inquiète, et la violence du monde, celle de cette journée passée sur la route qui serait sans retour, celle de ce qui s'en venait, celle de ce vers quoi on allait, m'a prise à bras-le-corps.

La peur m'a saisi les entrailles. C'était vrai, tout était vrai, il n'y avait plus de jeu. Pire, il y aurait du jeu dans le vrai. Du jeu dans le pire. On jouerait avec ma vie, j'avais fait de ma mort un divertissement.

Au loin, dans l'escarpement d'une petite montagne, entre les arbres au feuillage automnal, j'ai aperçu une construction d'une grosseur appréciable que, même aujourd'hui, je n'arrive pas à qualifier. C'était un château sorti d'un conte de fées. Non pas un réel château en pierres grises maculées de suie noire comme ceux du Moyen Âge, mais un château à la Walt Disney, tout en bleu ciel et en blanc, un château selon la vision qu'en ont les adultes qui veulent plaire aux enfants, un château-jouet fait en carton-pâte et jeté là, dans un endroit déserté des hommes, dans les Cantons de l'Est, dans la montagne, loin, très loin de la civilisation, des témoins, de la surveillance, des indésirables.

Que le château ait pu n'avoir été construit que pour moi m'a stupéfaite. Plus on s'en approchait, plus le monde s'éclaircissait, il sortait de la ouate, gagnait en épaisseur, il plongeait sur moi comme un vautour sur sa proie ; entre lui et moi, il n'y avait plus de mur, plus de distance, je le réintégrais, et mon corps réagissait comme un chat devant le vide, en sortant les griffes.

J'ai voulu ouvrir la portière de la voiture sous une impulsion ridicule de fuir à grandes enjambées dans les champs, mais elle était verrouillée. On avait prévu le coup. J'ai frappé du poing la vitre opaque qui me séparait du chauffeur, mais les coups ont été ignorés. Je roulais en prison. Il me fallait m'occuper l'esprit, me sortir de la conscience ; j'ai commencé à regarder autour, furieusement, à la recherche d'une distraction, et j'ai remarqué une quantité inouïe de chevreuils. Dans un champ, il y en avait une vingtaine, et l'un d'entre eux était blanc, un chevreuil albinos. Je me suis dit : « C'est la première fois que je vois un chevreuil albinos de ma vie. C'est aussi la dernière. » J'ai remarqué la beauté des couleurs entrelacées du feuillage des arbres et je me suis dit : « C'est mon dernier automne. » J'ai posé la main sur mon cœur qui cognait avec son bruit de tambour, voulait fuir, m'échapper, se dérober à ma volonté, et je me suis dit : « Mon cœur va cesser de battre. »

On se dirigeait vers le château, vers sa laideur en papier mâché, sa prétention de richesse, on est entrés dans une allée, une grille s'est ouverte pour nous laisser passer, elle s'est refermée derrière nous. Des gens sont apparus, ils étaient tous vêtus à la façon XVIIIe siècle, hommes et femmes à perruques grises montées très haut, échafaudées comme des gâteaux, vêtus de costumes neufs d'une époque lointaine, chapeaux, froufrous, robes chatoyantes de toutes les couleurs, très larges, à paniers circulaires et rectangulaires, femmes-gâteaux en corsages serrés faisant bondir la poitrine, seins sous le menton, chapeaux à longues plumes, d'autres perruques lourdes et frisées du côté des hommes, tombant sur leurs épaules, jabots, rabats, pourpoints, baudriers, hauts-de-chausses.

C'était du toc, c'était une imitation d'une époque monarchique dont il ne nous reste, aujourd'hui, qu'une vague conception esthétique, c'était du kitsch, mais l'organisation elle-même, cette planification à grand déploiement, était impressionnante.

Et pour si peu, pour ma vie, celle que je m'apprêtais à détruire.

Une femme en robe bleue fleurdelisée s'est approchée de la voiture, elle a déverrouillé la portière pour que j'en sorte. J'en suis sortie. La femme m'a pris le bras dans l'intention de me faire entrer à l'intérieur du château. Je ne savais pas si je voulais qu'elle me tienne par le bras, je ne savais pas si je voulais entrer dans le château, mais j'y suis allée, tenue par le bras. Je ne savais plus rien, j'étais un chat sauvage domestiqué par la contrainte, j'étais prise au piège de ce pour quoi je m'étais battue avec acharnement, la trappe irréversible vers laquelle j'avais tendu toute ma vie.

À l'intérieur du château, il n'y avait qu'une unique et immense pièce. Sur les murs, des peintures d'époque, fausses, des miroirs, petits, géants, des meubles repêchés chez des antiquaires. Le portrait de monsieur Paradis, toujours le même, toujours central, était accroché parmi d'autres peintures. On lui avait donné la place d'honneur, mais, cette fois-ci, j'ai choisi de l'ignorer, de ne pas risquer le croisement des regards.

La femme bleue fleurdelisée m'a amenée au milieu de la pièce. D'autres femmes m'ont entourée, elles m'ont dévêtue et revêtue d'une longue robe grise, simple, sans panier circulaire, elles ont déposé un châle blanc sur mes épaules. Je n'ai pas mis de temps à comprendre : j'allais être accusée, jugée, puis exécutée. J'étais Marie-Antoinette.

Une fois devenue reine déchue, coupable, enguenillée, les femmes se sont éloignées de moi pour aller d'un côté de la pièce immense. Se trouvait, assez loin de moi, un tribunal qui consistait en une table surélevée derrière laquelle trois hommes étaient assis.

Là, à ma droite, tout au fond, j'ai vu la guillotine, en retrait, immanquable. Ses deux montants verticaux hauts de quatre mètres, sa base transversale et sa poulie. Sa lunette, collier de bois qui allait recevoir ma tête, encercler mon cou, former le point de jonction où j'allais être disjointe. J'ai vu sa lourde lame trapézoïdale fixée au sommet des montants. J'ai vu le panier devant la guillotine. Un large panier en osier où ma tête allait atterrir, *ploc*, où elle serait évacuée comme un déchet.

C'était une vraie guillotine française. Sauf que la guillotine était verte. Verte d'un vert pomme. L'arme tranchante qui allait me décapiter avait ma couleur préférée. Une préférence qui n'était répertoriée nulle part. À ce stade, croire en une coïncidence n'était pas possible. Ces gens savaient des choses qu'ils n'auraient pas dû savoir, ils étaient allés fouiller mon intimité, ils avaient des recherchistes du tonnerre. Que savaient-ils d'autre ?

Un homme du tribunal a parlé :

« Antoinette Beauchamp, approchez-vous. »

Je me suis approchée mais pas trop, juste assez pour les entendre, pas assez pour que les traits de leurs visages les détachent les uns des autres.

« Vous êtes l'objet de plusieurs chefs d'accusations à chacun desquels vous devez répondre en clamant votre culpabilité ou votre innocence. »

Le jeu commençait, le dernier. J'ai serré les dents, j'ai fermé les yeux. Puis, avec mes dents, je me suis mordu la langue, d'abord doucement, ensuite plus fort, encore plus fort, jusqu'à la douleur, jusqu'à sentir ma chair s'ouvrir, jusqu'à sentir le sang et le goûter, jusqu'à m'approprier une dernière fois ce qui allait m'échapper pour toujours : ma substance vitale. Mon âme manquante.

« Antoinette Beauchamp, vous reconnaissez-vous coupable de ces chefs d'accusation ? »

J'ai porté une main à ma bouche, j'ai touché mes lèvres, j'ai regardé mes doigts. Un peu de sang, sans plus. L'homme qui venait de prendre la parole a pris une pause pour m'observer, comme s'il attendait une réaction. J'ai gardé le silence, il s'est lancé :

« Ingratitude envers Micheline Beauchamp, votre mère, qui a pris soin de vous sans jamais rien obtenir en retour ? »

J'ai regardé autour les gens stoïques qui me dévisageaient et pour lesquels, de toute évidence, l'ingratitude envers une mère pouvait être un chef d'accusation, un crime punissable de mort. Je ne m'attendais pas à ça, à entendre parler de ma mère tandis que mon sang me remplissait la bouche de son goût salé. Sans réfléchir, j'ai répondu :

« Coupable.

— Négligence envers ceux qui vous ont aimée, malgré vos défauts, au cours de votre vie ?

— Coupable.

— Non-assistance à personne en danger, entendez votre oncle Léon Beauchamp, dont vous connaissiez le projet de mourir ? »

Mes jambes, à ce moment-là, ont bien failli me lâcher. J'ai bien failli m'écrouler. Cette accusation-là était un coup dur, un coup bas, le plus bas de tous. Un coup de salauds qu'ils étaient tous. Voilà comment, ai-je pensé, procède la compagnie : elle agit souterrainement, par écœurement, par épuisement ; elle traite ses candidats comme des sportifs, des athlètes olympiques, elle les pousse à bout, elle tente de les faire craquer, elle cherche à ce qu'ils renoncent à leur mort, elle entreprend de trier les vrais, les durs, dans le tas des mous et des hypocrites, elle s'assure de séparer le bon grain de l'ivraie avant d'ouvrir en grand la porte de la Terre promise. J'étais acculée au pied du mur mais j'étais résolue à mourir, il le fallait, à ce moment-là du moins, j'en étais convaincue, je ne croyais pas insensé que la mort soit l'unique option ; de plus, j'ignorais tout de ce qu'il adviendrait de moi si je me déclarais innocente à ce chef d'accusation éhonté, injuste. J'ai donc prononcé d'une voix forte et assurée :

« Coupable ! »

Un silence de mort a suivi. Du sang a giclé sur le châle blanc avec lequel on m'avait recouvert les épaules. Je crois que ça a fait sensation, mon assurance, la giclée de sang sortant de ma bouche. Le son de ma culpabilité a rebondi sur tous les murs avant de me revenir en écho, boomerang fait d'une lame acérée. Je croyais que c'était fini, mais une succession de chefs d'accusation absurdes a commencé à défiler, de plus en plus vite :

« Manque de savoir-vivre ?

— Coupable.

— Complaisance ?

— Coupable.

— Manque global de soins à votre personne ?

— Coupable.

— Marasme ? Morbidité de pensées ? Nombrilisme ?

— Coupable.

— Évacuation de toutes autres considérations que celle votre propre existence souffreteuse? Tendances à l'alcoolisme? Cynisme? Renoncement à la sexualité? Refus d'exploiter la longueur de vos jambes? Attouchements à l'endroit d'une danseuse nue? Meurtre sans préméditation d'un chaton par écrasement nocturne? Destruction d'un vêtement qui ne vous appartenait pas?»

Ça continuait, par grappes, par paquets. Je n'écoutais plus. Je ne voulais pas penser aux moyens qu'ils avaient pris pour connaître tous ces détails intimes et inutiles. Il fallait que ça cesse. J'ai lancé un cri démesuré pour arrêter le flot, désamorcer la mécanique des chefs d'accusation qui se démultipliaient:

«Coupable, vous entendez? Coupable de tout et de tous! De la souffrance et de la faim dans le monde! Des tous les génocides, de la dérive des continents, de l'explosion des étoiles, de la suffisance du big-bang qui refuse de se laisser démontrer scientifiquement!»

La petite foule des gens déguisés s'est exclamée, comme si elle venait de remporter une victoire. Je venais de lui donner ce qu'elle voulait, l'aveu de ma culpabilité, celui de tous mes torts.

«Antoinette Beauchamp, vous êtes déclarée coupable de tous les chefs d'accusation possibles. Votre sentence est la peine de mort par décapitation. Exécution immédiate!»

De grands coups de maillet venus de nulle part, dans le chaos de la foule exaltée, se sont fait entendre.

Je ne voyais aucun maillet dans les mains de quiconque. Les coups ont continué d'emplir l'espace, jusqu'à ce que la foule se calme, se taise tout à fait, puis ils se sont interrompus.

Ce qui a suivi se perd dans le gris du bruit et de sensations gelées. Je me suis laissé traîner à la guillotine, les yeux fermés. À partir de là, tout s'est déroulé très vite. On m'a demandé de m'agenouiller, il y a eu ces craquements de guillotine qu'on manipule, ces frottements de mains qui s'activent suivis d'une sensation de collier qui se resserre sur mon cou. Mes mains, curieusement, sont restées libres. Aussitôt que j'ai été installée, les pas de la petite foule m'ont indiqué que tous prenaient la porte. On me laissait seule. J'ai ouvert les yeux. La première chose que j'ai vue, c'est le bouton rouge, un bouton pression, encore plus gros que je ne l'imaginais, encore plus rouge, à la portée de ma main, sur lequel était inscrit le nom de la compagnie : Paradis, clef en main.

J'ai entendu des pas, j'ai vu les fausses chaussures d'époque d'un homme s'arrêter devant moi. Impossible de redresser la tête pour voir le visage de ces chaussures-là. En entendant la voix, j'ai conclu que ce n'était pas monsieur Paradis. À moins qu'il n'ait joué la comédie, à moins qu'il n'ait changé sa voix pour ce rôle précis qu'il se donnait, en comédien qu'il était sans doute.

« Dans quelques instants, vous serez seule. Vous avez une heure pour appuyer sur le bouton. Après une heure, il se désactivera, et vous pourrez retrouver votre liberté. Par contre, si vous choisissez de ne pas mourir, jamais plus vous ne devrez nous contacter. Une présence viendra vous visiter. Si vous avez besoin de lui faire entendre une dernière déclaration, elle sera là pour vous. »

Une main gantée a déposé un sablier à côté du bouton rouge. Du sable a commencé à se transvaser. L'homme est sorti, je suis restée seule, fin seule devant moi-même, devant le pire de moi-même.

Il fallait que je me décide. Ma vie avait une durée d'une heure. Je disposais d'une heure pour décider de ma mort. J'étais incapable de penser, le défilement de ma vie en images n'avait pas lieu et je l'attendais de pied ferme, ce film, celui dont tout le monde parle, qui retrace l'important, le capital.

Je n'étais plus certaine de rien et je détestais cette incertitude, qui tombait au mauvais moment. Puis j'ai pensé à Léon, j'ai eu l'impression de sentir sa présence. Il m'attendait peut-être quelque part, je devais peut-être le rejoindre peu importe où il se trouvait, je devais peut-être partir à sa recherche même s'il ne se trouvait nulle part, dans le néant.

J'ai caressé du bout des doigts le bouton, j'ai tracé délicatement avec mon index toutes les lettres du nom de la compagnie, comme pour préparer le terrain. J'allais refaire le traçage des lettres quand le grincement d'une porte s'ouvrant sur des jappements aigus, hystériques, familiers, relancés par l'écho que permettait la grandeur du château, m'en ont empêchée.

Le caniche blanc, le chien de la mort, venait me visiter une dernière fois. C'était l'oreille qu'on m'offrait pour entendre mes dernières paroles. C'était la présence la plus haïssable au monde qu'on me servait comme dépositaire de ce que j'avais à déclarer avant de mourir. J'ai pensé : « Il a dû en voir d'autres, des comme moi. Il a dû assister à beaucoup de morts. » Le caniche parcourait l'endroit en jappant, parasitant mes pensées déjà démembrées, indémêlables.

Mon énergie me fuyait, je devais me concentrer et je ne voyais que le mur de brique grise qui était lié à tous les moments forts de ma vie. Une impasse, une surface qui réfléchissait des pensées en boucle, stériles, pétrifiées.

Le museau du caniche est entré dans mon champ de vision, son museau me reniflait le visage, il voulait m'écœurer, me faire sentir son haleine de chien. J'ai voulu l'attraper, mais il m'a échappé, il a filé dans un regain d'énergie, jappant à tout rompre en décrivant des cercles, en allant se frapper aux meubles, couinements, grognements, halètements.

Si le caniche n'avait pas été là, je n'aurais peut-être pas appuyé. Qui sait, je n'aurais peut-être pas posé le geste. Mais il est réapparu devant mes yeux, bondissant et jappant comme sa nature le lui commandait, se laissant voir de manière intentionnée : il me narguait, il me mettait au défi.

D'un coup de poing, j'ai défoncé le bouton. Que je meure enfin. Qu'enfin le chien disparaisse. Qu'enfin, je disparaisse.

LA FIN DU MONDE

Aujourd'hui, c'est la fin du monde.

Le monde, tel que je le connais, vient de s'éteindre sec. Son ampoule a rendu l'âme. Parce que je sais que ma vie ne s'arrêtera pas de sitôt. Je sais que j'ai un avenir devant moi, à me démener, à me traîner, une vie ouverte sur des décennies d'événements, petits et grands, sur au moins, pourquoi pas, cinquante ans de rêves, de petits déjeuners, de routine, de bouleversements. Si je fais attention, j'aurai droit à demi-siècle de vie, même si cette vie devra se mouvoir, recourbée, poussive, en chaise roulante.

Une vie entière à faire le deuil de ma mère. J'y ai enfin trouvé une raison, à cette vie, une raison qui vient trop tard : ne pas laisser tomber ma mère dans la mort, la sienne, sa mort qui surviendra bientôt, aujourd'hui ou demain, ou dans trois jours, une mort au bout d'une vie acharnée qui ne s'est jamais abandonnée elle-même.

Ma mère est là, avec moi. Des sandwichs au thon, de la salade de chou, une bouteille de vodka, du jus de fruits. Un dernier repas. Qui sait. La routine se poursuit dans la catastrophe, dans les sanglots qu'il me faut contrôler devant ma mère, qui se donne du mal, qui se fait du mal, qui me renvoie à ma propre lâcheté.

Pour la première fois, j'écris en sa présence avec ma voix et les mots apparaissent au plafond, ils bafouillent, ils déploient leur décontenance dans des fautes de frappes. Mes mots trébuchent, c'est difficile à écrire. Ça ne s'écrit même pas. Ils auront besoin d'un coup de peigne, de passer chez le coiffeur. Une autre fois.

Ces mots, ce seront les derniers de cette histoire. Sans égard pour ma mère, et aussi en l'honneur de ma mère. Cette logique, toujours, de l'absorption et de la déjection.

Je n'ai plus rien à lui cacher. Au contraire, je voudrais tout lui dévoiler, tout lui donner, comme une lettre d'adieu où je promets de rester à ses côtés, dans ce monde-ci, celui des vivants. Une contre-indication pour suicidaires.

Je sais qu'elle va mourir, je n'ai pas besoin d'un médecin pour me l'annoncer, pour me faire comprendre que rien ne peut la sauver. Sous ses cheveux blancs qui jaunissent déjà, sous sa peau flétrie couverte de rides profondes, sous sa transformation en accéléré, on voit déjà son cadavre. Nos mains ne se quittent pas, je sens que je pourrais, en serrant trop fort, lui briser les os. Je pourrais la pulvériser comme j'ai toujours voulu pulvériser le mur de brique grise. Mais je n'en ai plus envie, de venir à bout de tout. Même de moi-même.

La fin du monde arrive et le citronnier, ingrat, indifférent dans sa majesté, se gorge de citrons qui se dénombrent par dizaines. Il se fiche de nous, de la fin, il poursuivra son œuvre végétale en dépit de la disparition de la main qui le nourrit.

Il ne paie rien pour attendre.

Moustafa, lui, est toujours à mes côtés. Il aura besoin de moi, quand tout sera fini.

Ma mère est assise sur mon lit et elle me veille, moi, sa fille alitée. De mon côté, je la veille aussi. On est toutes les deux mal en point, elle plus que moi. Elle tousse, elle tente de me parler et je veux l'en empêcher, pour la garder encore un peu.

« Maman, je sais que tu as des choses à me dire, mais c'est inutile. Tout ce que tu pourras m'apprendre ne changera rien. S'il te plaît, repose-toi. »

Ses efforts me font mal, je sais pourtant que je ne dois pas leur faire obstacle. C'est peut-être son dernier combat, elle le sait : elle ouvre la bouche, sa bouche se refuse à elle, elle reste ouverte comme un piège à rats qui mange ses mots. La toux emporte encore une fois ce qu'elle a à dire, elle se bat avec son courage habituel, indéfectible, même dans l'agonie.

Malgré tout, ma mère est restée ma mère, une femme invaincue. Avec ma main dans la sienne et qui la soutient, qui ne veut pas la blesser, avec mes yeux dans les siens et qui cherchent à parler pour elle, à lui épargner le gaspillage de sa dernière goutte, elle finit par dire :

« C'est moi qui ai payé le suicide de Léon. C'est moi qui ai toujours eu la mainmise sur la fortune familiale. Il m'a convaincue de l'aider. Et je l'ai fait. Je lui ai donné l'argent qu'il voulait. Quand j'ai retrouvé mes esprits, et que j'ai compris qu'il allait vraiment mourir grâce à cet argent, que j'en étais donc responsable, il était trop tard. Léon avait disparu, sans laisser de traces. Sur sa démarche, ses intentions, il m'en a appris beaucoup plus que tu ne le crois. »

L'information frappe mon cerveau sans l'atteindre. La réaction attendue, celle de la colère, de l'emportement, de l'indignation, ne vient pas. Je suis toute déversée dans ma mère qui se meurt et qui se confie, sa confidence se perd dans son corps détraqué, déjà fossile. Léon n'a plus d'importance, il est mort, et ma mère est toujours là.

« Je ne sais pas à quoi j'ai pensé. Léon était comme un trou noir, souvent je devais m'en protéger, il aspirait le monde autour de lui avec sa force de destruction. Il exerçait une attraction sur les autres, à leur insu, comme par-dessous. Léon avait la même énergie mortelle, à diffusion lente, que celle de mon père. Il a été absorbé par cette énergie, par sa nature d'anéantissement. C'est dur à supporter, un père et un frère pour lesquels tout est dégradé, perdu d'avance. Sans valeur. Puis, toi aussi, tu es tombée dedans, et ça, je ne l'ai jamais accepté. J'ai dû penser que sa mort était une solution à ton problème à toi. Je ne savais pas qu'il allait placer une partie de l'argent entre les mains de ces gens-là, au cas où tu voudrais, toi aussi, mourir. Je ne l'ai su que lorsqu'on t'a retrouvée parmi des carcasses de voitures, à moitié morte. C'est du moins la conclusion que j'en ai tirée, parce que tu n'as pas d'argent, parce que, sans cet argent, tu n'aurais pas pu... »

Ma mère s'interrompt, elle se frappe la poitrine, des coups d'épée dans l'eau, dépourvus de force, des coups en vain. Une épileptique de deux cents ans que je veux réanimer par mes pleurs, mes supplices, par mes gestes limités de paraplégique :

« Peu importe, maman. Ça ne change rien. Ce n'est rien, tout ça. Je suis là, je vais rester là. Je vais vivre. »

Je lui dis ce qu'elle veut entendre, je dis ce que je veux dire. Enfin, nous sommes sur un pied d'égalité. Encore la danse, toujours la danse. Elle m'observe longuement, elle se redresse, elle replace de ses mains sa robe fripée dans laquelle son corps se perd. Dans ses yeux altérés par la maladie, jaunis, je reconnais toujours les miens. Ce sont les miens.

« J'ai failli te perdre ce jour-là, celui où on a retrouvé ton corps. Depuis, j'ai eu l'impression de te perdre tous les jours. »

Quinte de toux venue des entrailles de l'enfer, montée de son cul de fer, de feu, de cris brûlés et éternels. Elle cherche son air et je ne cesse de vouloir la saisir de mes mains pour qu'elle se taise, pour qu'elle ne meure pas en cet instant, parce qu'elle veut se rattraper, parce qu'elle croit avoir une dette à régler. Je la supplie de se reposer, comme si le repos allait changer quelque chose. Comme si je pouvais changer quelque chose.

« Après qu'on t'a retrouvée, j'ai pensé à le démasquer, ce Paradis, cet assassin, et tous ses associés. J'en aurais peut-être eu les moyens. Mais je savais que, si je faisais ça, ta vie serait en jeu. »

On se prend dans nos bras réciproques. Son corps est tout petit, tout petit. Les sanglots me secouent de nouveau, ma tête part vers l'arrière, ma mère referme sa poigne de rien sur moi, ses mains de rien me retiennent, ses mains cosmiques, emportées par les étoiles filantes. Sa vie file avec le vent qui se lève, elle file avec les étoiles, ma mère file tout droit vers le ciel dont j'ai tant rêvé, que j'ai tant cherché.

Sa toux s'apaise, elle se ressaisit, elle se lève, elle marche avec lenteur vers la porte où se trouve un objet qui m'est destiné. Je sais ce que c'est : une chaise roulante.

La chaise apparaît, poussée par ma mère : vert pomme, petite machine coquette et bien huilée, électrique, multifonctionnelle. Une chaise que tout le monde envierait, si tout le monde était en chaise roulante.

Cette chaise, c'est l'amour d'une mère. Le seul amour dont une mère soit capable, l'amour dont seule une mère est capable : le don de soi, jusqu'à imposer la vie, la rendre obligatoire, jusqu'à forcer chez ses enfants la marche à suivre pour exister, en dépit de tout.

« Merci maman, elle est très belle. Elle me plaît beaucoup. Maintenant, laisse-moi appeler à l'aide. Laisse-moi appeler une ambulance. »

Elle abdique, elle me tend son sac à main. Je sais qu'à l'intérieur se trouve un téléphone, mais je ne prends pas de chance, moi aussi j'ai des choses à dire :

« Je vais m'y installer, dans cette chaise. Je vais rouler jusqu'à mes cent ans. Je vais me lever, je vais remarcher, ne serait-ce qu'en restant assise. Je vais vivre, tu m'entends ? »

Ma mère se couche doucement sur mon lit, comme une jeune fille se couche quand elle s'endort. Ses cheveux blanc-jaune recouvrent son dos, et je remarque que son crâne est en partie dévoilé, qu'il y a de grands trous dans sa chevelure étrange, semblable à une perruque abandonnée dans un vieux carton, livrée à la boule à mites. Une pensée me vient, celle que c'est peut-être elle qui l'a arrachée, par mottes, devant le miroir, devant l'ampleur des dégâts.

Je cherche sur son corps un signe de vie, mais mes mains sont impuissantes à le trouver, ce signe, celui qui pourrait me la rendre encore un peu, me la garder encore un peu.

« Maman ? Maman ? ! »

Mes mains cherchent toujours sur elle quelque chose d'elle, je prends son sac à main, je trouve son téléphone, je compose un numéro, tandis que je regarde le plafond, une dernière fois.

Ce n'est peut-être pas la fin, la fin est peut-être pour demain. Je me dis, j'espère, qu'il nous reste, à elle et à moi, encore quelques heures, quelques jours.

Je crie :

« Fermer Paradis, clef en main ! »

* * *

REMERCIEMENTS

Je tiens à remercier Laurent Aglat, à qui l'idée d'une entreprise faisant le commerce de suicides faits sur mesure revient, ainsi que son nom : Paradis, clef en main.

Je tiens aussi à remercier Michel Vézina, éditeur des « Coups de tête », qui m'a soutenue tout au long de l'écriture de ce roman, par sa patience, sa flexibilité, ses conseils et sa confiance, sans oublier cette liberté de discours qu'il accorde à tous ses auteurs, et qui est une profonde marque de respect.

DÉJÀ PARUS

DATE DUE

8 MAI 2010	
MAI 2010	

ANNULÉ/
CANCELLED

sur les presses de *Transcontinental Gagné*